Jacqueline Wilson

Mon amie pour la Vie

illustré par Nick Sharratt

traduit de l'anglais
par Olivier de Broca

GALLIMARD JEUNESSE

Titre original : *Vicky Angel*
Édition originale publiée par Doubleday,
une division de Transworld Publishers Ltd, Londres, 2000
© Jacqueline Wilson, 2000, pour le texte
© Nick Sharratt, 2000, pour les illustrations
© Éditions Gallimard Jeunesse, 2001, pour la traduction

Pour Elizabeth Sharma

Vicky est ma meilleure amie. Nous sommes comme deux sœurs. Au collège, on nous appelle même les jumelles, parce que l'une ne va jamais sans l'autre. Notre amitié remonte à la crèche, le jour où je me suis approchée de Vicky, à quatre pattes dans le petit bassin, et qu'elle m'a versé sur la tête le contenu de sa théière en plastique rouge. Elle s'est fait gronder pour ce mauvais geste, mais je ne lui en ai pas voulu. Je suis restée figée sous cette douche imprévue, flattée d'avoir gagné son attention. Maman n'était pas contente parce que mes barrettes ont rouillé, mais ça m'était égal. Vicky n'avait pas prononcé un mot et pourtant je savais que, désormais, nous étions amies.

Nous ne nous sommes pas quittées pendant toute l'école primaire, puis nous avons continué ensemble à Downfield. Je me souviens du premier jour en sixième, quand on ne connaissait personne. Même Vicky était intimidée. Aujourd'hui, en quatrième, on connaît tout le monde et les filles donneraient n'importe quoi pour être ses amies, mais nous passons le plus clair de notre temps ensemble, Vicky et moi. Nous serons amies pour la vie, au collège, à l'université, au travail. Les garçons comptent pour du beurre. Elle a déjà eu un tas de petits amis mais personne ne peut prendre la place que nous occupons dans le cœur l'une de l'autre.

Nous allons à l'école ensemble, nous nous asseyons côte à côte toute la journée et, après les cours, je vais chez Vicky ou elle vient chez moi. Cet après-midi, j'espère qu'elle va m'inviter. Je préfère de beaucoup sa maison à la mienne.

Ça y est, la journée est finie mais nous restons un moment à regarder la liste des activités extrascolaires affichée sur la porte des vestiaires. Notre nouveau directeur n'est pas content parce que Downfield a la réputation d'être un collège dépotoir. Il veut à tout prix que nous améliorions nos résultats aux examens et que nous participions à des activités épanouissantes.

– Ça n'est déjà pas marrant d'aller à l'école, ronchonne Vicky. Qui serait assez dingue pour rester après les cours ? De son plein gré ?

Je hoche la tête par habitude. Je suis toujours d'accord avec elle. Mais je viens de lire une notice sur la création d'un club de théâtre et je reste songeuse. Depuis toute petite, je rêve de devenir actrice. Je sais, c'est absurde. Je n'ai aucun don particulier. Dans notre quartier, personne n'a jamais connu la gloire ni les paillettes et, de toute façon, même les jeunes les plus beaux ou les plus talentueux ont du mal à gagner leur vie comme acteurs. Mais j'ai tellement envie de jouer. Je n'ai jamais

8

joué dans une vraie pièce, à part les spectacles de fin d'année. Au CP, je faisais un ange dans la Nativité. C'est Vicky qui avait décroché le rôle de la Vierge Marie.

En sixième, notre professeur de littérature, Mlle Gilmore, nous a fait monter *Le Vent dans les saules*. Je voulais être le crapaud, malheureusement Mlle Gilmore a choisi Sam Gras-Double. Parce qu'il avait le physique de l'emploi. Ceci dit, il faut admettre qu'il était bon. Excellent. Mais parfois je me dis que j'aurais pu faire encore mieux.

Vicky et moi, on jouait des animaux du Bois Sauvage. Elle, un mignon petit écureuil à queue bouffante qui bondissait partout en grignotant des noisettes. A la fin, elle a eu droit à des vivats et à une salve d'applaudissements. Moi, j'étais une hermine. Difficile d'être mignon quand on incarne cet animal. Je me suis appliquée à jouer une hermine très sournoise, qui restait tapie dans l'ombre, mais Mlle Gilmore m'a poussée sur le devant de la scène.

– Allez, Jade, ne sois pas timide.

Je n'ai pas eu le temps de lui expliquer que j'essayais d'être sournoise, pas timide. Je ne me suis pas vexée pour autant. Même la grande Sarah Bernhardt aurait eu du mal à déclencher une ovation dans la peau d'une hermine.

De toute façon, je ne voulais pas être un animal. Je voulais interpréter un vrai personnage. Quand je suis seule à la maison – Vicky est retenue ailleurs, maman est au travail et papa dort – j'arpente le salon en jouant tous les feuilletons télé, je récite les répliques de Clare Dane dans *Roméo et Juliette* ou bien j'in-

9

vente mes propres scènes. Parfois j'imite des habitants du quartier. Et je finis toujours par imiter Vicky. Je ferme les yeux, je me concentre sur sa voix et, lorsque je me mets à parler, j'ai exactement les mêmes intonations qu'elle. J'ouvre les yeux et je suis Vicky. Je sens ses longs cheveux caresser mes épaules, mes prunelles vertes scintillent, mon sourire se fait moqueur. Je virevolte à travers la pièce jusqu'à ce que je surprenne mon reflet maigre et pâlichon dans le miroir au-dessus de la cheminée. On dirait un fantôme. J'ai l'impression d'être tellement plus vivante lorsque je suis Vicky.

– Allez, dépêche-toi, Jade, dit Vicky en me tirant par la manche.
Je relis pour la troisième fois la notice sur ce cours d'art dramatique. Elle s'impatiente.
– Ne me dis pas que tu t'intéresses à ce club de cinglés ?
– Non ! Bien sûr que non.
Mais je m'y intéresse beaucoup et Vicky le sait très bien. Une lueur brille au fond de ses yeux verts, comme si elle se moquait de moi.
J'inspire un grand coup.
– Peut-être que ça m'intéresse, après tout.
Je ne devrais pas me laisser marcher sur les pieds. Je devrais défendre mon opinion, pour une fois. Mais c'est très difficile parce que j'ai pris l'habitude de faire ses quatre volontés.
– Tu n'as pas envie de t'inscrire avec moi, par hasard ?

– Tu plaisantes ! C'est Mlle Gilmore qui s'en occupe. Je ne peux pas la sentir.

Presque tous les professeurs adorent Vicky, même lorsqu'elle est insolente, mais Mlle Gilmore est souvent un peu sèche avec elle, comme si elle l'agaçait.

– C'est vrai qu'elle est barbante. Mais on pourrait bien rigoler, Vicky. Allez, on s'inscrit ? S'il te plaît ? Je parie que tu auras les meilleurs rôles.

– Pas forcément. De toute façon, je déteste jouer la comédie. Je ne vois pas l'intérêt. On dirait un jeu pour les enfants. Je ne comprends pas ce qui t'attire autant, Jade.

– Eh bien... C'est juste que... Oh, Vicky, tu sais bien que je rêve de devenir actrice.

Mes joues s'enflamment, comme chaque fois que j'en parle. Et je suis affreuse quand je rougis. Je suis si blanche en temps normal que ce soudain afflux de sang paraît maladif, et contraste avec la couleur terne de mes cheveux.

– J'aimerais bien travailler à la télévision, dit Vicky, mais pas comme actrice. Tu me vois en présentatrice ?

Elle se lance alors dans un numéro de clown, où sa cravate fait d'abord office de micro, puis de marionnette qui s'agite et retombe lorsqu'elle la gronde.

Je ne peux pas m'empêcher de rire. Vicky est tellement douée. Aucun doute, elle pourrait faire carrière à la télévision. Ou dans n'importe quel domaine. Elle serait une excellente actrice.

– S'il te plaît, Vicky. Inscrivons-nous à ce club de théâtre.

– Non, vas-y, toi.

– Je ne veux pas y aller seule.

Nous faisons toujours tout ensemble. Je ne peux même pas envisager de m'inscrire quelque part sans elle. Ce ne serait pas pareil.

– Ne sois pas bête, Jade. Vas-y. On n'est pas obligées de rester toujours collées par la hanche comme des sœurs siamoises.

Elle se donne une petite tape sur la hanche.

– Arrêtez de pousser, vous autres. Je suis assez ronde comme ça, non ? Et quant à vous, Grosses Fesses...

Elle se donne une claque sur le derrière.

– Vous avez intérêt à maigrir vite fait, compris ?

– Tu as une silhouette de rêve et tu le sais très bien, alors arrête de frimer.

Je glisse une main sous son bras.

– S'il te plaît, viens avec moi au club de théâtre.

– Pas question ! dit-elle en secouant ses cheveux qui me chatouillent le visage. Tu ne choisirais pas une activité juste parce que j'y vais ?

– Tu sais bien que si. Je m'inscrirais n'importe où pour toi.

Ses yeux se mettent à briller comme des émeraudes.

– Chiche !

Elle passe en revue les différents clubs.

– Très bien, d'accord... J'irai à ta bêtise de théâtre si tu t'inscris avec moi... au club de course à pied.

– Hein ? Quoi ?

– Allez, marché conclu ! Théâtre le mercredi après-midi et course à pied le vendredi. Quelle vie sociale trépidante !

– Tu plaisantes, j'espère ?

– Non. Je suis très sérieuse.

Elle dégaine son feutre pour ajouter nos deux noms sur les listes des clubs de théâtre et de course à pied.

– Mais tu sais bien que je suis incapable de mettre un pied devant l'autre.

J'ai toujours été nulle en sport. Et j'ai une sainte horreur de la course à pied. Au bout de dix mètres, j'attrape un point de côté, mon cœur se met à cogner dans ma poitrine et je n'arrive plus à respirer. Je finis toujours bonne dernière.

En revanche, Vicky est très forte. Elle gagne toutes les courses qu'elle veut, mais de temps en temps elle se laisse glisser vers l'arrière et trotte sur place pour me tenir compagnie. Parfois même elle me prend la main pour me tirer.

C'est ce qu'elle fait maintenant.

– Viens, sortons de ce bahut.

– Attends ! Il faut que je raye mon nom. Je ne pourrais pas courir même si j'avais le feu aux trousses et tu le sais très bien.

– Ne te mets pas dans cet état, Jade.

Elle me fait une chiquenaude sous le menton. C'est pour rire mais ça me fait mal.

– Regarde ! Il y a écrit que c'est de la course à pied pour s'amuser. Autrement dit, tu n'es pas censée prendre ça au sérieux.

Je ne peux pas m'empêcher de prendre ça très au sérieux. Je m'imagine déjà en queue de peloton, rouge comme une écrevisse, ruisselante de sueur, pendant que Vicky galope loin devant, flanquée de ces garçons qui roulent des mécaniques, crinière au vent.

– Je n'irai pas au club de course à pied.

Libérant mon bras, je biffe nos noms sur les deux listes puis je me dirige vers la cour de récréation, la démarche pesante. Vicky tourne autour de moi, railleuse. Je déteste quand elle fait ça.

– Allez, quoi, souris.

Je n'ai pas envie de sourire. Plutôt de pleurer. Pourquoi faut-il que ça se termine toujours ainsi ? Vicky impose chaque fois sa volonté. Et quand par hasard on décide de faire quelque chose qui me plaît, elle s'arrange d'une manière ou d'une autre pour renverser la situation et avoir gain de cause.

Elle m'agace quand elle est comme maintenant, à me chatouiller partout, à me tirer les cheveux ou à écarter les coins de mes lèvres pour m'arracher un sourire.

– Allez, ne fais pas la tête, dit-elle tandis que nous franchissons les grilles du collège.

– Laisse tomber, Vicky.

Elle balance son sac dans ma direction. Le coup n'est pas censé porter, nous le savons toutes les deux, mais je ne bouge pas d'un pouce et le sac me heurte violemment la hanche. Ça fait très mal.

– Oh, Jade ! dit Vicky en me massant. Pourquoi tu ne t'es pas écartée ?

– Laisse-moi. Si je comprends bien, tu me frappes avec ton cartable et c'est ma faute ?

– Oh ! là ! là ! la prochaine fois, je viserai la tête ! Si tu te voyais quand tu prends tes grands airs.

Elle éclate de rire mais je n'arrive pas à en faire autant. Même quand elle se met à loucher et à tirer la langue.

– Tu ne peux pas grandir un peu, Vicky ?

– Qui a envie de grandir ?

Et elle avance sur la chaussée

et puis

et puis…

une voiture

un crissement de pneus

un cri

un CRI

et le silence.

Je reste pétrifiée. C'est un cauchemar. Un horrible
cauchemar. Je n'ai qu'à battre des paupières pour me
réveiller dans mon lit et tout raconter à Vicky.

Vicky Vicky Vicky Vicky Vicky

Je me précipite vers elle.

Elle est couchée devant le capot d'une voiture,
face contre terre. Ses longs cheveux auburn me
cachent son visage. Je m'agenouille à son côté et je
lui prends la main.

– Vicky ?

– Tu la connais ? Oh, mon Dieu, est-ce qu'elle
est… ?

C'est le conducteur de la voiture, un homme au
teint aussi gris que son costume. Il transpire à grosses
gouttes. Il se penche aussi, puis fait mine de soulever
Vicky.

– Ne la touchez pas !

L'idée qu'il puisse seulement poser ses mains sur
elle me fait horreur. Mais il se méprend sur ma réaction.

– Oui, tu as raison, elle est peut-être touchée à la colonne vertébrale. Bon sang, ce n'est pas vrai. Je roulais lentement, à peine cinquante kilomètres à l'heure, mais elle s'est jetée sous mes roues...

– Appelez une ambulance !

– Oui ! Un téléphone...

Il regarde éperdument autour de lui.

– Mon portable est dans la voiture.

– Pas la peine, je viens d'appeler le SAMU, crie une femme qui accourt d'une maison.

Elle pose un bras sur mes épaules.

– Comment te sens-tu, petite ? Viens donc chez moi...

– Non, il faut que je reste avec Vicky.

Je peux à peine articuler. Mes dents s'entrechoquent. Pourquoi fait-il si froid tout à coup ? Je baisse les yeux sur Vicky. Sa main est chaude mais j'ôte ma veste pour l'étendre sur elle.

– L'ambulance ne devrait pas tarder, pas tarder, pas tarder, répète la dame comme un disque rayé. Et la police sera là dans une minute.

– La police ? hoquette le conducteur. Mais c'était un accident. Elle s'est jetée devant ma voiture. Je n'ai pas pu l'éviter. Vous l'avez bien vue, non ?

Elle a vu. D'autres personnes se sont approchées. Elles ont tout vu, elles aussi. Elles m'ont vue, elles ont vu Vicky.

Vicky. Je passe une main tremblante dans ses cheveux. Son visage est tourné sur le côté. Il est intact – pas une égratignure. Les lèvres ébauchent presque un sourire. Vicky n'a rien. Ce n'est qu'un jeu. Elle va bientôt se redresser et éclater de rire.

« Je t'ai bien eue ! Vous êtes tous tombés dans le panneau. Vous m'avez crue morte ! »

Voilà ce qu'elle va dire. Je lui donne une petite bourrade sur l'épaule pour l'encourager. La plaisanterie a assez duré.

– Surtout ne fais pas ça ! dit la dame. Laisse-la tranquille, la pauvre petite.

Le conducteur de la voiture pose un genou à côté de Vicky. Cette fois, il n'essaie pas de la toucher mais il approche son visage du sien.

– Elle respire ? demande-t-il.

– Bien sûr qu'elle respire ! dis-je. Elle n'est pas vraiment blessée. Ce n'est pas possible. Il n'y a pas de sang.

C'est un de ces drôles d'accidents sans conséquence. D'une seconde à l'autre, Vicky va rouvrir les yeux.

Réveille-toi, Vicky.

Réveille-toi, Jade, tu vas t'apercevoir que tu es en train de rêver. Ou plutôt, reviens en arrière. Rembobine d'une minute ou deux, c'est tout. Remonte au moment où Vicky riait aux éclats et puis... et puis...

... et puis je ris à mon tour et nous rentrons à la maison bras dessus bras dessous, saines et sauves.

– Vicky, je murmure.

Tant pis si j'ai le nez et les yeux qui coulent comme des fontaines.

– Vicky. Oh, Vicky...

J'ai tellement de choses à lui dire mais il y a le conducteur juste à côté, les badauds qui forment un cercle autour de nous. Une sirène retentit, l'ambulance est là. On vient, quelqu'un me relève, je résiste.

Je veux rester avec Vicky.

Les infirmiers la soulèvent, la déposent sur une civière. Son bras gauche est ballant, ses pieds touchent encore le sol, mais elle est en un seul morceau, rien de cassé, aucune blessure apparente, ça veut dire qu'elle va bien...

– Elle est morte ? chuchote la dame.

– Elle respire, répond l'ambulancière.

– Dieu soit loué, Dieu soit loué, répète le conducteur.

Ils échangent quelques mots à voix basse, couverts par le vacarme d'une sirène. La police. Un policier s'adresse à moi mais j'ai les yeux fixés sur Vicky que l'on hisse à bord de l'ambulance.

– Je veux aller avec elle ! je crie, en me frayant un passage parmi la foule.

Le policier me poursuit de ses questions. Comment s'appelle-t-elle ? Est-ce que j'étais avec elle ? Est-ce que j'ai assisté à l'accident ? Mais je suis incapable de réfléchir, incapable de parler, je n'ai qu'un mot à la bouche :

– Vicky !

– Elle a subi un grave choc, dit l'ambulancière au policier. On l'emmène à l'hôpital pour l'examiner. Vous pourrez lui parler plus tard.

Elle m'aide à grimper dans l'ambulance. Sa collègue prend le pouls de Vicky.

– C'est ton amie ? me demande-t-elle sans lever les yeux. Comment t'appelles-tu ?

– Jade.

– Nous faisons tout notre possible, Jade, dit-elle tandis que l'ambulance démarre.

Autrefois, lorsque Vicky et moi étions à la crèche, nous jouions à un jeu que nous avions appelé Pin Pon. Nous courions toutes les deux à travers la pièce en agitant nos petites mains potelées et nous faisions semblant d'être des ambulances qui fonçaient vers l'hôpital.

Les paupières de Vicky n'ont même pas tressailli lorsque la sirène s'est mise à hurler.

– Elle n'entend rien !

– Qui sait. Approche-toi, essaie de lui parler. Mais fais attention. Ne va pas tomber. Tu es sûre que tu n'es pas blessée, toi aussi ? La voiture ne t'a pas touchée ?

– Non, j'étais encore sur le trottoir. Vicky me parlait. Tout s'est passé si vite. Je... je...

Je tremble comme une feuille.

– Tiens, prends cette couverture. Passe-la sur tes épaules.

Je me pelotonne au creux de la couverture, ramenant les pans gris sur ma tête. Comme pour envelopper aussi mon cerveau et atténuer la douleur sous mon crâne.

L'ambulancière surveille la respiration de Vicky, lui soulève les paupières, braque une petite lampe torche sur ses pupilles.

Je plonge le regard dans les yeux de Vicky. L'étincelle a disparu. Elle n'a pas l'air de me voir.

– C'est moi, Vicky. Jade. Je t'en prie, réveille-toi. Promets-moi de guérir. Je m'occuperai de toi. Je resterai à l'hôpital. Vicky, j'irai au club de course à pied si tu y tiens. On ne sera même pas obligées d'aller au cours de théâtre. De toute façon, je me raconte des histoires, je serais nulle comme actrice. Je m'en fiche. La seule chose qui compte, c'est toi. Je veux juste que tu ailles bien, Vicky. Tu ne vas pas mourir, hein ? Tu ne peux pas me laisser toute seule. Je t'aime, Vicky. Je t'aime si fort.

Je voudrais que l'ambulancière me dise que je déraille, que Vicky ne va pas mourir, qu'elle est juste un peu sonnée, qu'elle va bientôt reprendre conscience et qu'il n'y paraîtra plus.

Mais elle ne dit rien. Elle continue de la surveiller tandis que l'ambulance file à toute allure, en zigzaguant parmi la circulation. Je ne suis pas dans le sens de la marche. Bientôt, j'ai l'estomac tout retourné et les genoux qui flageolent.

– Assieds-toi, petite, et respire à fond, dit l'ambulancière, en me regardant à peine.

Je ne peux pas m'asseoir. Il faut que je reste tout près de Vicky. J'ai besoin de lui tenir la main, de la serrer très fort.

– Ça ne lui fera pas mal, hein ?

– Non. Mais tu ferais mieux d'aller sur la banquette. Je n'ai pas envie que tu t'évanouisses. Comment veux-tu que je m'occupe de deux patientes à la fois ?

– Je ne vais pas m'évanouir, dis-je vaillamment, alors que l'intérieur de l'ambulance tourbillonne déjà.

La main de Vicky est encore chaude. Je la connais aussi bien que la mienne, ses petits ongles ovales un peu rongés, et cet anneau de pouce en argent que je lui ai offert pour Noël. J'avais très envie de le garder mais je n'avais pas assez d'argent pour en acheter deux et, de toute façon, il était beaucoup trop grand pour moi. Je serre la main de Vicky si fort que les lignes de sa paume se creusent. Un jour, dans un vide-grenier, nous étions tombées sur un livre qui apprenait à déchiffrer les lignes de la main mais je n'ai jamais su laquelle représentait quoi. Vicky a réussi à lire dans la sienne, elle a dit qu'elle vivrait très vieille, qu'elle se marierait deux fois et aurait quatre enfants.

– Tu as une ligne de vie très longue, Vicky. Tu te rappelles, les deux maris et les quatre enfants ?

Aucune réaction. Elle reste étendue là, le visage blême, les yeux fermés, la bouche entrouverte comme pour dire quelque chose – mais elle ne dit rien.

Alors je parle pendant tout le trajet, ne lui lâchant la main que lorsque nous arrivons aux urgences. Je cours à côté d'elle jusqu'à ce que l'équipe de soins l'emmène hors de ma vue.

Je reste seule, perdue.

Une infirmière me demande mon nom mais j'ai l'esprit tellement embrouillé que je lui donne celui de Vicky, ainsi que son adresse, comme si elle s'était emparée de mon identité. Je ne m'en rends compte que lorsque l'infirmière me tend une tasse de thé en disant :

– Tiens, bois ça, Vicky.

Mes dents heurtent le rebord de porcelaine.

– Ce n'est pas moi, dis-je, en éclatant en sanglots. Je vous en prie, qu'est-ce qu'elle a ? Elle va se remettre ? Il n'y a aucune marque sur son corps, aucune blessure, alors elle va guérir, n'est-ce pas ?

L'infirmière passe un bras sur mes épaules.

– C'est encore trop tôt pour se prononcer. Elle pourrait avoir de graves lésions internes. Il faut prévenir ses parents au plus vite. Tu sais où ils travaillent ?

Je lui indique leurs deux lieux de travail. Un policier s'approche, j'essaie de lui répondre, mais je ne suis pas en état de raisonner. Je bois une deuxième tasse de thé. On m'offre aussi un biscuit au chocolat. Le chocolat n'a pas plus tôt fondu sur mes dents que je me précipite aux toilettes pour vomir.

Impossible maintenant de me débarrasser de ce sale goût. Plusieurs infirmières viennent me parler mais je reste encore plus muette qu'avant, de peur qu'elles ne remarquent ma mauvaise haleine. Je ne sais plus quoi faire. Nous avons une pile de devoirs ce soir, du français, de l'histoire et des maths. D'habitude, nous faisons nos exercices de maths ensemble, Vicky est bien meilleure que moi dans cette matière. Nous nous posons aussi des colles en français. Comment vais-je faire mes devoirs toute seule ? Mais je suis folle, à m'inquiéter de broutilles comme mon haleine ou mes devoirs de classe quand ma meilleure amie est quelque part au bout de ce couloir, mourante peut-être...

Non, elle n'est pas en train de mourir. Vicky déborde de vie. Elle sera bientôt sur pied et nous évoquerons cet incident avec des frissons dans le dos. Je la prendrai dans mes bras en disant : « J'ai cru que tu allais mourir, Vicky », elle éclatera de rire et fera la morte, les yeux exorbités, la langue pendante, avant de me débiter tout un roman à propos de sa formidable expérience extracorporelle. Oui, elle racontera qu'elle est sortie de son corps, qu'elle a fait des cabrioles au plafond, qu'elle a suivi toutes les opérations chirurgicales et chatouillé un beau docteur sur le sommet du crâne. Ensuite elle s'est engouffrée dans les couloirs et m'a trouvée en train de pleurer, alors elle a glissé ses doigts entre les miens, puis elle s'est dépêchée de réintégrer son corps pour qu'on puisse grandir ensemble et rester comme deux sœurs toute la vie...

– Je ne peux pas aller m'asseoir auprès de Vicky ?
– Non, ma puce, répond l'infirmière. Les médecins s'occupent d'elle.

– Je ne les dérangerai pas, promis. Je lui tiendrai juste la main. Comme dans l'ambulance.

– Oui, oui, tu as été très bien. Tu as fait tout ton possible pour elle, mais il faut peut-être songer à rentrer chez toi maintenant.

– Je ne veux pas rentrer à la maison !
– Et ta maman ? Elle ne va pas s'inquiéter ?
– Elle travaille. Et papa croira que je suis chez Vicky.

– On devrait quand même essayer de les prévenir.

Mais son attention est distraite par l'irruption des parents de Vicky dans la salle des urgences. Mme Waters arrive tout droit de son cours d'aérobic. Elle porte encore son body rose fluo sous un pantalon de jogging trop grand qu'elle a sans doute emprunté et enfilé à la hâte. M. Waters a oublié d'enlever son casque jaune de sécurité. Leurs regards hébétés se posent sur moi.

– Jade ! Oh, mon Dieu, où est Vicky ? Nous avons reçu le message. C'est grave ? Qu'est-ce qui s'est passé ?

– Elle a été renversée par une voiture. Je… Elle s'est avancée, elle s'est presque jetée sous les roues. J'entends encore le crissement des pneus et son cri strident.

Ce cri qui ne veut pas s'arrêter dans ma tête. Il résonne si fort que tout le monde doit l'entendre.

– Renversée ? répète Mme Waters. Oh, mon Dieu. Mon Dieu.

– Pas de panique, dit M. Waters. Tu vas voir, tout ira bien.

Il se tourne vers l'infirmière.

– Où est-elle ?

– Veuillez patienter un moment, monsieur.

Et elle s'éloigne.

– Non, pas question d'attendre ! s'exclame-t-il en lui emboîtant le pas. C'est notre enfant !

La maman de Vicky me regarde.

– Tu as été renversée, toi aussi, Jade ?

Je secoue la tête.

– Seulement Vicky. Elle a couru…

– Tu ne pouvais pas la retenir ?

Sans attendre ma réponse, elle s'élance derrière son mari. Je reste immobile. Je me rends compte que je suis en train de pleurer lorsque l'infirmière revient avec une poignée de Kleenex.

– Allons, du calme, ne t'inquiète pas. Elle ne pensait pas vraiment ce qu'elle a dit. Ça lui aura échappé. Elle est en état de choc.

– Mais pourquoi je ne l'ai pas retenue ?

– Allons, allons. Essaie plutôt d'appeler ta maman au travail. Tu as besoin d'avoir quelqu'un à tes côtés.

La seule personne que je veux, c'est Vicky. C'est trop injuste. Ses parents ont le droit de la voir et pas moi.

Ils reviennent quelques minutes plus tard et prennent place sur les chaises en face de la mienne. M. Waters a ôté son casque de chantier mais sa femme ne peut pas en faire autant avec son body. Sur le rose fluo, son visage paraît blanc comme un linge.

– Elle est dans le coma, murmure-t-elle. Le docteur dit...

Elle n'arrive pas à finir sa phrase.

– Les médecins ne sont pas omniscients, dit M. Waters. Il y a tous les jours des malades qui sortent du coma.

– Mais, son cerveau...

– On l'aidera. On lui réapprendra tout. Tout ira bien. Je sais que Vicky va se remettre. Et, si elle ne se remet pas, elle sera toujours notre Vicky, nous l'aimerons comme avant et nous prendrons soin d'elle.

– Notre Vicky est un légume, sanglote Mme Waters.

– Ne dis pas ça. Taisons-nous maintenant, nous allons faire peur à cette pauvre Jade.

M. Waters se penche pour me tapoter le genou. Je suis incapable de les regarder en face. Je ferme les yeux et je me mets à prier. Je conclus toutes sortes de pactes avec le destin. Je promets tout ce qu'on veut du moment que Vicky guérisse. Ça prend du temps, parce que je répète les vœux sept fois dans ma tête pour leur conférer un pouvoir magique. Je garde les yeux fermés. Les parents de Vicky s'imaginent que je me suis endormie et ils se mettent à discuter à voix basse. Ils reviennent encore et encore sur l'accident, s'efforçant de comprendre.

– Pourquoi notre Vicky ? se lamente Mme Waters en leitmotiv.

Je sais ce qu'elle veut dire. Pourquoi pas plutôt Jade ?

J'ai déjà tout prévu dans ma tête. Je resterai auprès de Vicky. Je retournerai à la maison de temps en temps mais je n'irai plus à l'école, je viendrai tous les jours à son chevet. Je lui tiendrai la main, je lui parlerai sans arrêt et peut-être, oui, peut-être qu'une de mes blagues ou de mes chansons réussira à trouer le brouillard qui obscurcit son cerveau. Elle ouvrira alors les yeux et me prendra la main, ma Vicky enfin retrouvée. Et si elle ne se réveille pas, je resterai quand même auprès d'elle. Dès qu'on la laissera regagner la maison, je lui rendrai visite tous les jours. Je la sortirai en fauteuil roulant, je l'emmènerai dans tous nos endroits préférés, je la coifferai comme elle aime et je l'habillerai de la manière la plus cool qui soit. Je ferai de mon mieux pour qu'elle continue de ressembler à Vicky. Et, quand nous serons plus grandes, je louerai un appartement pour nous deux, rien que Vicky et moi. Nous vivrons des allocations s'il le faut et nous serons très heureuses. Les gens penseront que je sacrifie mon avenir pour Vicky mais je ne veux pas d'un avenir sans elle. Il n'y a pas d'autre solution. Car je ne peux pas exister sans elle.

– Monsieur et madame Waters, vous pouvez venir dans mon bureau, s'il vous plaît ?

J'ouvre les yeux. Deux nouvelles têtes sont apparues, une infirmière et un jeune médecin, à la mine longue, aux cheveux raides et gras. Pauvre Vicky, elle aurait préféré un sosie de George Clooney.

Je me demande ce qu'ils vont faire dans le bureau. Discuter du traitement de Vicky ? Peut-être que le médecin veut tenter une opération délicate ? Je les suis du regard puis je referme les yeux pour formuler de nouvelles promesses. Mes rituels secrets deviennent de plus en plus extravagants. Je dois compter jusqu'à cent, me lever, pivoter sur moi-même, me rasseoir, compter encore jusqu'à cent, debout, un petit tour, assise, cent de plus... J'ai probablement l'air d'une folle mais quelle importance ? Les gens penseront peut-être que je me dégourdis les jambes. Si j'arrive jusqu'à mille sans être interrompue, alors Vicky guérira. Je lui dois bien ça. Je compte encore et toujours. J'en suis à la dernière centaine, je m'emmêle les pinceaux, pour plus de sûreté je recommence les soixante et soixante-dix. Je dois réussir un sans-faute. Je ne peux pas m'arrêter maintenant. Sous aucun prétexte...

Des pleurs. Mme Waters. Et M. Waters.

Pourvu qu'ils ne m'interrompent pas !

– Jade...

C'est l'infirmière.

– Non, je murmure en secouant la tête.

Quatre-vingt-un, quatre-vingt-deux, j'y suis presque, quatre-vingt-trois...

– Jade, notre Vicky, elle n'a pas tenu, sanglote M. Waters.

J'ai compris ce qu'il vient de dire. Bien sûr que j'ai compris. Mais je refuse de l'admettre.

– Elle n'a pas tenu quoi ?

Mme Waters laisse échapper un gémissement. Son mari la soutient.

– Vicky est morte, dit l'infirmière d'une voix feutrée.

Je reste debout, à secouer la tête, les poings fermés. Si je refuse catégoriquement d'y croire, peut-être que je peux encore changer le cours des choses.

– Viens, Jade, dit M. Waters. Tu ferais mieux de venir avec nous.

– Je... Il faut que je reste.

Comme ça, je serai là quand Vicky se redressera d'un coup dans son lit, à la surprise des médecins. Elle ne peut pas être morte. Je ne la laisserai pas mourir.

M. Waters semble inquiet pour moi mais il est trop occupé à soutenir sa femme. De toute façon, j'ai l'impression qu'elle supporte mal l'idée de se retrouver dans la même voiture que moi. Alors ils s'en vont tous les deux, me laissant auprès de l'infirmière.

– Vicky n'est pas morte, ce n'est pas possible, je murmure.

– Je sais, c'est dur à accepter. Mais c'est la vérité, malheureusement.

– Elle est dans le coma, c'est tout. On a l'air mort quand on est dans le coma.

– Nous avons tout essayé. Vicky est morte.

– Vous ne pouvez pas la mettre sous respiration artificielle ? Ou bien la ranimer en lui donnant des décharges électriques ?

– Les médecins ont travaillé jusqu'à l'épuisement. Ils ont tout essayé. Nous voulions tous la sauver. Mais elle avait des lésions internes très graves – et elle a eu une crise cardiaque. Personne ne pouvait plus rien pour elle.

– Je veux la voir.

– J'ai peur que ça ne soit pas possible. Tu n'es pas de la famille.

– Je suis comme sa sœur.

– Je sais, je sais.

– Non, vous ne savez rien. Personne ne sait. Personne sauf Vicky.

Elle essaie de passer un bras sur mes épaules mais je m'esquive. Je me mets à courir le long du couloir, mes semelles en caoutchouc couinent sur le sol lustré. Un bruit régulier, un peu étouffé, comme si quelqu'un marchait sur mes talons. Si seulement ça pouvait être Vicky...

Je sors en trombe de l'hôpital. Je cours à perdre haleine. Je suis nulle en course à pied mais là, je ne peux plus m'arrêter, direction le centre-ville, avec mon cartable qui rebondit sur mon dos. Où est passé le sac de Vicky ? Que vont devenir ses affaires ? Ses vêtements ? Est-ce que, sous son drap d'hôpital, elle porte encore sa jupe d'école trop courte, sa cravate et sa veste ?

Je ne suis pas sûre de mon chemin. J'aurais besoin de ralentir pour m'orienter mais je continue. Mes pieds martèlent le macadam. Je suis à bout de souffle. J'ai un point de côté tellement douloureux que j'ai l'impression d'avoir des agrafes géantes dans le ventre. Je cours toujours, bousculant les passants, trébuchant, m'égratignant comme une gamine. Les genoux me brûlent, un filet de sang coule sur ma jambe droite mais je ne ralentis pas l'allure. Je prends la direction du collège. Impossible de m'arrêter. Il y a un groupe de gens devant les grilles. Que regardent-ils ? Là, sur le trottoir, à hauteur de l'endroit où gisait tout à l'heure Vicky, j'aperçois une gerbe de roses rouges. Comme si des gouttes de sang s'étaient transformées par magie en un bouquet de fleurs parfumées.

Je m'arrête, exténuée, les yeux rivés sur ce bouquet. Il y a un message écrit dessus :

« En mémoire de Vicky, pour toujours. » Vicky est morte depuis à peine une heure et elle n'est déjà plus qu'un souvenir.

– Ouah ! Moi qui ai toujours eu envie d'un beau bouquet de roses rouges.

Je fais volte-face. Vicky est là, derrière moi, les cheveux au vent. Ma Vicky. Pour de vrai.

Elle sourit devant mon expression médusée.

– Quoi ? On dirait que tu viens de voir un fantôme !

Et elle éclate de rire.

– Ce n'est pas possible ! Je n'y crois pas !

– Et moi alors ? dit Vicky. Voir un fantôme, ça fait un drôle d'effet. Mais en être un, c'est encore plus bizarre.

– Tu… Tu es vraiment…

– Ne fais pas l'andouille, Jade. Bien sûr que oui ! Bon, d'accord. On n'a qu'à faire le petit numéro du passe-ta-main-à-travers-mon-corps. Allez, tends la main. Non, pas là ! Tu sais que je suis très chatouilleuse. Je peux encore sentir tes doigts, un peu, même si tu ne sens rien.

Ma main hésitante transperce la taille de Vicky. Elle se met à rire. J'en fais autant. Elle a un rire communicatif, elle nous a souvent mis dans le pétrin en classe… Aïe ! me voilà dans un drôle de pétrin, justement. Sur le trottoir, les badauds contemplent d'un air lugubre les traces de pneus sur la chaussée et les fleurs déposées à l'endroit où Vicky est morte. Ils se tournent vers moi. Et je suis en train de ricaner.

– Ils te voient, eux aussi, Vicky ?

– Non. Je ne crois pas. Mais on ferait mieux de s'en assurer.

Elle pirouette jusqu'à une femme entre deux âges, en tee-shirt et caleçon, et lui agite la main sous le nez. La dame ne réagit pas.

Vicky éclate de rire.

– Vous m'entendez ? lui crie-t-elle au creux de l'oreille.

La femme ne bouge pas la tête d'un centimètre. Elle se contente de me regarder, les sourcils froncés.

– Elle ne t'entend pas non plus, dis-je.

– Non, mais elle t'entend, toi, idiote. Alors parle à voix basse et essaie de ne pas remuer les lèvres.

– Je ne suis pas ventriloque !

La femme vient droit sur moi. Au secours !

– Tu es au courant, pour l'accident ? Non, visiblement. Une fille de ton âge. De ton collège. Elle a été renversée ici même. Aujourd'hui. C'était horrible, du sang partout...

– Vieille bique ! s'exclame Vicky. Je n'ai pas perdu une goutte de sang. Dis-lui d'aller se faire voir. Et puis, quelle idée de porter un caleçon avec un derrière pareil !

Je dois me concentrer pour garder un visage de marbre. La dame poursuit son récit en s'animant de manière presque indécente. Deux filles de cinquième, en tenue de sport, se tiennent par la taille. Elles sont en larmes toutes les deux alors qu'elles n'ont peut-être jamais adressé la parole à Vicky. Pourtant elles la connaissent. Dans notre collège, tout le monde connaît Vicky.

– Ce n'est pas l'amie de Vicky Waters ? s'étonne l'une d'elles.

Elles me dévisagent comme si elles m'avaient surprise en train de commettre un acte obscène sur la
voie publique.

– Prends un air affligé, me souffle Vicky. Allez.
Pleure un coup. Fais comme si tu avais de la peine.

Je suis prise de vertige. Les deux filles s'avancent,
les yeux rouges et la mine grave.

– Tu étais avec Vicky quand c'est arrivé? me
demande la première, d'une voix de confessionnal.

Je hoche la tête. Vicky fait de même, avec des
mimiques de clown.

– Ça doit être affreux pour toi. Je n'arrive toujours
pas à y croire. Et toi?

Je secoue la tête. Non, je n'y crois pas. Je ne crois à
rien de tout ça.

– Tu as l'air encore sous le choc. Tu veux qu'on te
raccompagne chez toi?

Je panique.

– Non, ça va. Enfin, non, ça ne va pas, mais je préfère rester seule.

Je déguerpis sans demander mon reste. Vicky m'accompagne. Je ne suis plus seule. Bientôt, elle prend
quelques mètres d'avance, revient tourner autour de
moi, et même à travers moi. Puis elle se poste à la ver-
ticale au-dessus de ma tête, un large sourire aux
lèvres. Je dois me tordre le cou pour lui parler.

– Tu voles?

– Plutôt cool, non?

– Tu as des ailes?

Vicky se tâte le dos.

– Non. Tant mieux, après tout. Ça ne serait pas très
confortable, elles me déséquilibreraient. Et puis

comment veux-tu enfiler des bretelles de soutien-gorge avec ces grands trucs en plumes ?

– Tu portes un soutien-gorge, là ? Une culotte et tout ?

– Bien sûr ! Quelle question !

– Ben, je ne sais pas, moi. On imagine rarement les fantômes en sous-vêtements.

Je m'aperçois seulement maintenant que Vicky porte le pantalon sombre et le débardeur noir et argent que nous avons repérés chez *Style* le jour où sa mère nous a emmenées au centre commercial de Lakelands.

Elle surprend mon regard et sourit.

– Ils me vont bien, non ?

– D'où les sors-tu ?

– Eh bien, je n'ai pas encore eu l'occasion d'aller faire mon shopping au paradis, dit Vicky en levant les yeux au ciel. Alors j'ai pensé très fort à ce que j'avais envie de porter et les vêtements se sont matérialisés. Pas mal, hein ?

– Tu ne peux pas m'en avoir aussi ?

– Non, c'est une marque réservée aux fantômes. Modèle déposé.

Elle tire sur son débardeur pour me montrer l'étiquette. Mes doigts passent à travers le tissu, sans rien sentir.

– Tu plaisantais, à propos du shopping au paradis ?

– Jade !

– Mais… Tu y es allée ? Je veux dire… Là haut.

– Je n'ai pas eu le temps ! Ma mort date seulement de cet après-midi ! Depuis, j'ai l'impression de flotter à la dérive. Je suis peut-être encore sous l'effet du choc.

– Moi aussi. Vicky, quel effet ça fait ? De mourir ?
Elle tournoie sur elle-même, à m'en donner le vertige, mais ne répond pas.
– Dis-moi !
Nous n'avons jamais eu de secret l'une pour l'autre.
– C'est arrivé si vite. J'étais en train de te parler, là, et puis tu...
– Tais-toi ! Je t'en prie, n'en dis pas plus ! Je ne veux pas me rappeler !
– Pas étonnant ! lance-t-elle avec sarcasme.
Mais elle se radoucit aussitôt.
– Bon, d'accord, il y a cette voiture qui fait bing ! de plein fouet, et moi je fais paf ! par terre et puis... après tout devient flou. Je me souviens d'un choc terrible et de quelqu'un qui me tenait la main.
– C'était moi !
– Je sais bien que c'était toi. Voilà ! Tu m'as accompagnée de vie à trépas, Jade.
– Et quand tu es morte... Qu'est-ce que tu as ressenti ?
– On croirait entendre un de ces imbéciles de journalistes : « Mademoiselle Vicky, dites-nous ce que vous avez ressenti lorsque votre cerveau s'est mis à gonfler et que votre cœur a fait pschitt ! Nous l'imprimerons en première page. » Bon, j'étais allongée sur un lit d'hôpital, tous ces médecins et ces infirmières s'agitaient autour de moi comme dans un épisode d'*Urgences*. Il y avait ce type sinistre, avec de longs cheveux gras...
– Oui, je l'ai vu !
– Une vraie brute. Il m'a donné de grands coups sur la poitrine. Puis quelqu'un a dit : « On l'a per-

due » et ils ont tout arrêté. Je suis restée étendue là, un peu groggy. J'ai eu une sorte de spasme et... je suis pour ainsi dire sortie de mon corps. Tu sais, comme on enlève ses vêtements.

– Ouah !

– Oui, exactement pareil. Et je me suis mise à flotter dans l'espace.

– J'en étais sûre.

– Toute l'équipe médicale était en dessous. C'est très bizarre de ne voir que le sommet des crânes. Puis je me suis baladée le long des couloirs. Je croyais que c'était juste une petite expérience extracorporelle, que le docteur aux cheveux gras allait me donner une dernière décharge électrique, par acquit de conscience, et que j'allais retrouver mon corps, bien vivante, mais je suis tombée sur l'infirmière qui annonçait la mauvaise nouvelle à mes parents...

– Ils peuvent te voir ?

– Je ne crois pas. Papa, non. Mais maman... J'ai essayé de la toucher et elle a eu un frisson comme si elle avait senti quelque chose. Pourtant, elle n'avait pas l'air de me voir, ni de m'entendre.

– Moi si.

– Nous avons toujours eu notre langage à nous, pas vrai ? Souvent, tu devinais ce que j'allais dire avant même que j'ouvre la bouche.

– Oh, Vicky, dis-je avec passion. Je savais bien que rien ne pouvait nous séparer !

Un garçon, qui me dépasse en donnant des coups de pied dans son cartable comme dans un ballon de foot, s'arrête net, me regarde avec un étonnement inquiet, ramasse son sac couvert de poussière et prend ses jambes à son cou.

– Espèce de cinglée, dit Vicky. A voix basse !

Nous sommes presque arrivées au coin de la rue, là où nos chemins se séparent.

– Je veux rentrer à la maison ! se lamente Vicky, et des larmes jaillissent sur ses joues.

– Oh, Vicky.

J'essaie de la prendre dans mes bras. Mais autant vouloir étreindre une ombre.

– Tout ça est tellement bizarre. Tellement incroyable. Je ne veux pas être morte. Je veux être comme avant. La vraie Vicky. Je déteste naviguer comme ça, sans vie.

– Ne pleure pas, Vicky.

A l'aide d'un mouchoir en papier, je tente d'essuyer son visage mais les larmes continuent de rouler et le Kleenex reste sec.

– Je veux ma maman, sanglote-t-elle. Je vais rentrer à la maison, même si mes parents ne me voient pas.

– Mais tu reviendras ?

– Oui, bien sûr.

– Quand ?

– Je ne sais pas. On ne prend pas rendez-vous avec les fantômes, Jade. Nous apparaissons quand et où bon nous semble.

Elle m'adresse un sourire las, un petit signe de la main, puis son image s'estompe peu à peu.

Je l'appelle des dizaines de fois. Elle ne revient pas.

Je me sens seule et perdue sans elle. Toute l'horreur de l'accident resurgit. Il faut que je rentre à la maison.

Je déteste l'endroit où j'habite. C'est un appartement au premier étage, sur Oxford Estate. Maman a promis qu'un jour nous aurions notre propre maison, peut-être même une de ces belles demeures aux façades noirs et blancs sur l'avenue Tudor, là où vit Vicky...

Mais Vicky ne vit plus.

Je n'arrive toujours pas à l'accepter. Je monte l'escalier, longe le couloir. J'ai à peine franchi la porte que maman me saute sur le poil.

– Enfin, où étais-tu passée, Jade ? Il y a une bonne demi-heure que je suis rentrée du travail ! Nous étions très inquiets !

Étrange, cette soudaine sollicitude. Ces derniers temps, maman aurait plutôt tendance à se comporter comme si elle avait quasiment oublié mon existence. Elle m'écoute à peine quand je lui parle. Quant à papa, il ne s'est jamais beaucoup soucié de moi. Mais le voilà qui passe un bras autour de ma taille et colle sa joue contre la mienne. Il ne s'est pas encore rasé et il sent encore la tiédeur du lit. Je me dérobe.

– Qu'est-ce qu'il y a, Jade ? Tu as des ennuis ? On dirait qu'il est arrivé quelque chose de grave.

– En effet, dis-je, la voix mouillée de larmes.

– Ne commence pas avec tes jérémiades, dit maman. Tu as encore traîné avec Vicky, c'est ça ? Où êtes-vous allées ? Faire les magasins ? Chez MacDonald's ? Je te l'interdis, Jade, vous n'êtes pas assez grandes pour vous balader toutes seules. A l'avenir, tu rentreras directement à la maison, tu m'entends ? Je ne vais pas laisser cette Vicky te dévergonder.

– Il n'y a plus de risque.

– Que veux-tu dire, ma puce ? demande papa.

– Pas la peine d'en faire un mélodrame ! dit maman. Qu'est-ce qui s'est passé ? Tu t'es disputée avec Vicky ?

– Vicky est morte.

Ils restent muets. Puis maman secoue la tête, en tapotant ses cheveux.

– Pourquoi dis-tu une chose pareille ? Ne fais pas l'idiote, Jade. Vicky est morte !

– C'est la vérité ! dis-je d'une voix suraiguë. Elle a été renversée par une voiture.

– Oh, mon Dieu, dit maman.

Elle jette ses bras autour de mon cou.

– Et toi, Jade ? Tu n'as rien ? Tu n'es pas blessée ?

– Non, non, seulement Vicky. Nous étions devant l'école et… et elle… et je… cette voiture… la voiture… la voiture…

Maman me berce comme un bébé.

– Là, ma chérie, là…

– Je suis montée dans l'ambulance avec elle, dis-je, le visage enfoui dans le tailleur bleu marine de maman. Je lui ai tenu la main, je lui ai parlé, j'ai attendu des heures à l'hôpital, j'espérais encore, ils allaient tenter une opération, quelque chose. Mais elle est morte.

– Une si jolie fille, murmure papa. Pauvre Vicky.

– Ma pauvre Jade, dit maman, et elle me serre si fort que je peux à peine respirer.

Impossible de m'endormir. Toute la nuit, je me tourne et me retourne dans mon lit, sur le dos, en chien de fusil, sur le ventre, la tête sous l'oreiller pour finir. Mais je ne parviens pas à oublier. Vicky, Vicky, Vicky. Chaque fois que je suis sur le point de sombrer dans le sommeil, j'entends des crissements de pneus puis un cri et mes yeux se rouvrent aussitôt.

Je n'arrête pas de penser à elle. Pourtant, impossible de la faire revenir. J'essaie de l'appeler. Je me penche par la fenêtre dans l'espoir de l'apercevoir. Je peux imaginer son visage bien sûr, mais pas la rendre réelle, comme tout à l'heure en rentrant de l'hôpital. La Vicky que j'invente tient des propos sans queue ni tête et disparaît rapidement dans l'obscurité.

Le soleil se lève et les oiseaux gazouillent comme pour saluer une journée parfaitement ordinaire. Je m'enfouis sous ma couette jusqu'à ce que maman m'apporte mon petit déjeuner sur un plateau, comme si j'étais malade.

Nous sommes samedi, donc je n'ai pas école et maman ne va pas au travail. D'habitude, elle range la maison et fait les courses pendant que je me réfugie chez Vicky. Mais aujourd'hui, nous errons toutes deux dans l'appartement, désœuvrées. Maman rassemble son courage pour appeler la mère de Vicky puis éclate en sanglots au téléphone. J'ai peur que Mme Waters dise du mal de moi, mais, d'après maman, elle n'a même pas prononcé mon nom.

– L'enterrement a lieu mercredi à onze heures. Il faut que je m'occupe de la couronne mortuaire. Quelles étaient les fleurs préférées de Vicky, tu sais ?

– Le lilas. Le lilas blanc.

– Ça va nous coûter une fortune, mais c'est comme ça. Qu'est-ce que tu vas porter ?

Des filles du collège appellent toute la journée, à mesure que la nouvelle se répand. Ce sont des amies de Vicky plus que les miennes. Ou des filles qui auraient bien voulu être ses amies. Plusieurs garçons téléphonent aussi. Certains réagissent comme s'ils étaient le petit ami de Vicky, ce qui est grotesque. Elle ne pouvait pas les voir en peinture, surtout ceux de notre classe. Il y a même un coup de fil de Sam Gras-Double, le bouffon de la classe. Pour une fois, il se montre plutôt grave et sensé :

– Je suis désolé, Jade. Ça doit être un choc terrible pour toi. Vicky et toi, vous avez toujours été ensemble.

Si seulement nous pouvions être ensemble en ce moment. Mais elle ne veut toujours pas réapparaître.

La journée de dimanche est encore pire. Je ne sais pas quoi faire de mes dix doigts. Je n'arrive pas à regarder la télé. J'ai du mal à croire qu'il y a deux jours à peine, je me passionnais pour tous ces personnages de feuilleton et que j'en discutais avec Vicky comme s'ils étaient faits de chair et de sang. Je suis tout aussi incapable d'écouter de la musique, parce que nous avions l'habitude de chanter en chœur nos titres préférés et maintenant c'est comme s'il manquait la moitié de la partition. Je n'arrive pas à lire. Les phrases ondulent sur la page comme des vers de terre, dépourvues de toute signification. Impossible de me concentrer sur mes devoirs. Je vais sans doute m'attirer des ennuis mais, après tout, quelle importance ?

Plus rien ne compte à part Vicky.

Je passe des heures à tenter de la faire apparaître. En vain. J'ai tellement besoin d'elle que, dans l'après-midi, j'annonce à maman que je veux aller chez les Waters. Elle doit y être.

– Je ne sais pas, Jade, dit-elle en se mordant la lèvre. Je ne suis pas sûre que ce soit une bonne idée. Dans des moments pareils, il vaut mieux ne pas déranger.

– Mais j'en ai besoin, maman. Je veux me sentir près d'elle. S'il te plaît.

Après le déjeuner, elle m'accompagne à pied jusque chez Vicky pendant que papa pique un roupillon sur le canapé. Le week-end, il ne travaille pas la nuit mais, comme il a du mal à changer son rythme de sommeil, il passe le plus clair de son temps à somnoler. Lorsque nous approchons de la maison de Vicky, je m'arrête, prise de panique.

– Qu'est-ce qu'il y a ? demande maman. Tout va bien, ma chérie, je suis là.

Mais elle a l'air aussi mal à l'aise que moi.

– J'ai changé d'avis. Je ne veux pas entrer.

– Allez, puisqu'on est là.

– Je ne veux pas voir la maman de Vicky.

– Ça lui fera peut-être du bien de te parler. Vicky et toi, vous étiez comme deux sœurs.

– Elle ne m'aime pas. Je crois qu'elle me reproche ce qui s'est passé.

– C'est ridicule ! Pour l'amour du ciel, Jade !

Elle se met presque à crier. Je lui donne un coup de coude, terrifiée à l'idée que Mme Waters puisse l'entendre depuis son salon.

– Je t'en prie, maman, rentrons.

– Mais c'est toi qui as insisté pour venir.

– Je voulais voir Vicky, dis-je, les larmes aux yeux.

Maman me regarde comme si j'avais perdu la tête. C'est peut-être le cas. Je ne sais pas. Je ne sais plus où j'en suis.

Je n'arrive toujours pas à dormir. Le lundi matin, maman ne vient pas frapper à ma porte mais je me lève quand même. Je monte sur la balance de la salle de bains. J'ai perdu deux kilos depuis vendredi. Il faut dire que je n'ai pas beaucoup mangé. J'ai perdu l'appétit, ce qui n'empêche pas maman de se mettre en quatre pour me préparer du thé et des toasts. Mais le thé à l'orange a un horrible goût amer. Et le pain grillé me râpe la gorge à chaque bouchée.

– Essaie de manger. Sinon tu vas tomber malade. Regarde-toi. Tu es toute pâle ! Un vrai fantôme.

– Tais-toi !

– Je suis désolée, Jade. Je ne voulais pas… Écoute, ma chérie, à mon avis, tu n'es pas en état de retourner à l'école. Pourquoi ne vas-tu pas te recoucher pour récupérer un peu de sommeil ?

Je vais devenir folle pour de bon si je reste cloîtrée dans cette maison un jour de plus. J'enfile mon uniforme et je prends mon cartable rempli de devoirs à faire.

– Tu es courageuse, dit maman en me tapotant l'épaule.

Elle se montre si gentille. Elle n'a jamais débordé d'affection pour moi, même quand j'étais petite. Elle rêvait d'une fille délurée et pleine de vie, qu'elle pourrait habiller comme une poupée, pas d'une godiche maigrichonne qui se cache derrière les rideaux.

– Tu veux que je t'accompagne à l'école ?

Mais elle jette un œil à sa montre. Et je sais qu'elle est déjà en retard pour son travail.

– Non, ça ira. Je ne suis plus un bébé.

Pourtant j'ai l'impression d'être un bambin à son premier jour de crèche. Du coup, je pense à ma rencontre avec Vicky et je suis obligée de sortir de la maison en catastrophe pour ne pas éclater en sanglots.

Difficile de pleurer et de courir en même temps. Mais je suis à peine arrivée au bout de la rue que je dois m'arrêter, le cœur battant. Et dire que Vicky voulait m'inscrire à un club de course à pied ! Oh, mais pourquoi, pourquoi n'ai-je pas accepté sans discuter ? Nous serions rentrées tranquillement à la maison, bras dessus bras dessous, et aujourd'hui nous irions au collège comme tous les lundis, toutes les deux...

– Nous sommes encore toutes les deux, idiote !

– Oh, Vicky !

Je m'élance vers elle, les bras ouverts.

– Hé ! Les gens te regardent, espèce de cinglée ! Tu es en train de brasser l'air et de parler toute seule. A voix basse, tu te rappelles ?

– Où étais-tu passée ?

J'essaie de lui prendre la main, mais mes doigts se referment sur le vide.

– J'errais comme une âme en peine, en quête d'un lieu à hanter. C'est ce que les fantômes sont censés faire, non ?

– Tu ne peux pas être sérieuse une minute ? Oh, Vicky, tu m'as tellement manqué !

– Réaction normale lorsqu'on perd un être cher.

– J'ai cru que j'avais tout imaginé.

– Quel culot ! C'est impossible. Personne ne peut m'imaginer, je suis unique !

Elle me tire une langue qui a l'air on ne peut plus réelle, rose et luisante, mais quand j'essaie de la toucher mon doigt reste sec.

– Ah ! ah ! Attention, la prochaine fois, je te mords. Hé, tu as une mine affreuse, tu sais ? Qu'est-ce que tu as fait à tes cheveux ?

J'écarte les mèches de mon visage et les glisse derrière mes oreilles. Je ne crois pas les avoir lavés ni même coiffés depuis vendredi. Je me sens faible, éteinte. Alors que les cheveux de Vicky pourraient difficilement être plus brillants, avec le soleil qui dessine un halo doré sur ses boucles auburn.

– On dirait… un ange !

– Oh, arrête ! Mais vas-y, prosterne-toi à mes pieds si ça te chante…

– C'est là que tu étais ?

– Où ça ?

Je lève les yeux au ciel.

Vicky éclate de rire.

– Depuis quand es-tu devenue aussi bigote, Jade ?

– Depuis quand es-tu devenue un fantôme ?

Je la regarde de la tête aux pieds. Elle porte la même tenue noir et argent. Je jette un coup d'œil sur son dos pour voir s'il ne lui a pas poussé une paire d'ailes.

– Arrête de m'examiner comme ça ! Je sais, je n'ai pas encore progressé dans l'échelle céleste. A moins que je ne sois censée tomber dans un puits de l'enfer...

– Ne dis pas ça !

– Ne t'inquiète pas. Je n'ai pas l'intention de bouger. En tout cas, pas pour le moment. Je suis coincée ici. Avec toi.

– Mais tu as disparu tout le week-end !

– J'étais avec maman.

– Je croyais qu'elle ne pouvait pas te voir ?

– Je peux la voir, moi. Comme je te vois. D'ailleurs, je t'ai aperçue dimanche, avec ta mère, à jouer les curieuses sur le pas de ma porte.

Elle rit devant ma mine embarrassée.

– Je voulais te voir, Vicky.

– Eh bien, je suis là, non ? Rien que pour tes beaux yeux. Mais, pour la dernière fois, ne reste pas là à gober les mouches. Les gens vont croire que tu as un grain. Bon, d'accord, ta meilleure amie vient de mourir dans un accident dramatique, ça te donne le droit d'être un peu dans la lune. Mais n'en rajoute pas. Allons plutôt au collège. Je veux savoir ce qu'on raconte sur moi.

– Je te reconnais bien là. Il faut toujours que tu sois le centre du monde, même morte.

Je lui donne un petit coup dans le ventre, mais mon doigt traverse son corps.

– Aïe ! crie-t-elle en se tenant les côtes.

– Je t'ai fait mal ? Je n'ai pas fait exprès... Je croyais que... Oh, Vicky !

Elle rit aux éclats.

– Je t'ai bien eue ! Mais arrête de me donner des coups, même si je ne sens rien. Viens.

Elle s'élance et je fais des efforts pour la suivre, de peur de la perdre à nouveau. Elle court encore plus vite qu'avant, maintenant qu'elle n'est plus soumise à la gravité terrestre. Elle vire dans la rue du collège avec dix bonnes longueurs d'avance. Je la rattrape à la grille. Elle se tient à l'endroit précis où l'accident s'est produit. Et elle n'est pas seule. Il y a foule, des adultes et la moitié des élèves du collège. Beaucoup sont en larmes, certains prient à genoux ou tombent dans les bras les uns des autres. Les bouquets de fleurs, les peluches et les mots de regrets encombrent le trottoir et prennent d'assaut la grille.

– Ouah ! s'exclame Vicky. Exactement comme pour Lady Di !

Les gens se retournent, plusieurs doigts se pointent. L'espace d'un instant, je crois qu'ils ont vu Vicky. Puis je m'aperçois que c'est moi qu'on regarde. Il y a des murmures, des chuchotements et soudain des flashes. Je cligne des yeux, des lucioles blanches dansent sous mes paupières.

– Tu es la meilleure amie de Vicky, n'est-ce pas ? Tu étais avec elle quand elle a été renversée ? Comment est-ce arrivé ? Et que ressens-tu, maintenant que Vicky a disparu ?

Incrédule, je regarde la journaliste.

– Quel toupet ! s'exclame Vicky. Dis-lui de dégager et de s'occuper de ses oignons.

Elle ne se prive pas de le lui faire savoir, dans un langage encore plus imagé.

J'entends un autre juron parmi la foule. C'est Sam Gras-Double. Il est en quatrième, comme moi, mais avec son gros ventre il n'a aucun mal à repousser la journaliste.

– Laissez-la tranquille, les paparasites. Elle n'a rien à vous dire.

Il me prend par le bras, nous fraie un passage à travers les badauds. Je regarde autour de moi, craignant de perdre de vue Vicky, mais elle est sur mes talons, les sourcils en accent circonflexe.

– Hé, je ne savais pas que Sam Gras-Double en pinçait pour moi, glousse-t-elle. Il a l'air drôlement en pétard, non ?

Il m'entraîne dans le bâtiment principal.

– Bien manœuvré, Sam, dit Mme Cambridge, en déboulant dans le couloir. Oh, Jade ! C'est affreux. Incroyable.

Elle passe un bras sur mes épaules, l'autre sur celles de Sam et nous étreint tous les deux ! Mme Cambridge, la prof la plus sévère de l'école, qui distribuait les heures de colle à Vicky pour insolence ! Et la voilà en larmes.

– Incroyable ! dit Vicky en faisant la ronde autour

de nous. Mme Cambridge, Sam Gras-Double et toi tendrement enlacés, et à cause de moi !

M. Failsworth, le directeur, sort de son bureau et on jurerait que ses yeux sont voilés de larmes derrière ses lunettes. Il marmonne quelques lieux communs à propos des Épouvantables Tragédies et des Prières Qui Soulagent, puis me demande si je veux dire un mot lors de notre assemblée matinale, puisque Vicky était ma meilleure amie.

– Je crois que ce serait une trop lourde épreuve pour Jade, intervient Mme Cambridge avec fermeté. Je me demande même si elle n'aurait pas dû rester chez elle aujourd'hui. Tu as l'air encore toute déboussolée, Jade.

C'est sans doute parce que ça fait un drôle d'effet de voir Vicky se payer ouvertement la tête de M. Failsworth, les mains jointes et la mine confite de dévotion.

Je suis obligée de me mordre l'intérieur de la joue pour ne pas pouffer de rire. Du coup, Vicky en rajoute et je ne peux plus me retenir, mais c'est un torrent de larmes qui jaillit au lieu d'un éclat de rire. Me voilà en train de pleurer devant M. Failsworth, Mme Cambridge et Sam Gras-Double. Qu'est-ce qui m'arrive ?

Mme Cambridge m'escorte dans le vestiaire réservé aux professeurs, elle me serre dans ses bras avant de m'éponger le visage avec une liasse de mouchoirs en papier. Puis elle me sert une tasse de thé dans la salle des professeurs. Le tout prend tellement de temps que je manque l'assemblée matinale.

Du coup, j'ai aussi perdu Vicky. Envolée.

Pendant que je m'épanchais sur l'épaule de Mme Cambridge, elle a dû en avoir assez et elle m'a laissée en plan.

– Je veux que Vicky revienne.

– Je sais, je sais, me console Mme Cambridge, mais elle ne sait rien du tout.

M. Lorrimer entre dans la pièce, en survêtement, et s'accroupit devant moi.

– Je suis vraiment désolé, Jade, dit-il d'une voix douce.

Il me prend la main, la serre un peu. La moitié des filles seraient mortes de jalousie parce que M. Lorrimer est beau comme un dieu du stade, les cheveux noirs, de grands yeux noisette, un ventre en tablette de chocolat... Pas étonnant que Vicky voulait s'inscrire pour la course à pied.

– Vicky allait s'inscrire à votre club du vendredi, je murmure.

– Oui, j'ai vu vos noms sur la liste, mais ils étaient rayés. Tu peux venir seule, Jade.

– Moi ? Je suis nulle en course.

– On ne fait pas de compétition, c'est juste pour s'amuser. Et puis... Parfois, quand on est très malheureux, ça fait du bien de courir, pour évacuer le chagrin de son corps. Pardon, je n'aurais peut-être pas dû dire ça. Il te faudra beaucoup de temps pour te remettre de cette épreuve, ma pauvre.

C'est tellement bizarre. Ils sont tous si gentils. De vrais amis. En classe et à la récréation, tout le monde est rempli d'attention pour moi, y compris les filles les plus revêches, comme Rita et Yvonne. Y compris les garçons. L'ancien petit ami de Vicky, Ryan

Harper, le seul garçon à peu près potable en classe de quatrième, vient me trouver à la récré pour me prévenir de rester à bonne distance des grilles parce que les photographes sont toujours à l'affût, le doigt sur le déclencheur.

– S'ils t'embêtent, Jade, passe-nous le mot, et on aura vite fait de leur régler leur compte, mes potes et moi.

Du coup, ce vieux Sam Gras-Double n'est plus dans la course. Il essaie bien de me garder une place à côté de lui à la cantine mais Jenny, Madeleine et Vicky-Deux m'entraînent d'autorité à leur table. Je les ai toujours bien aimées mais Jenny tapait sur les nerfs de ma Vicky parce qu'elle est aussi sortie avec Ryan Harper. Jenny s'intéresse beaucoup aux garçons. Vicky-Deux est un vrai garçon manqué, pleine d'énergie et de bagou, mais aujourd'hui elle est en larmes. Vicky-Deux a toujours su qu'elle venait en second après ma Vicky. Jenny la console et Madeleine me prend dans ses bras. Tant pis si nous avons à peine échangé deux mots depuis la rentrée… C'est une grosse fille à la peau blanche et rose. J'ai l'impression de m'enfoncer dans de la guimauve.

Je me noie dans un océan de douceur. Comme si on m'emmitouflait au creux d'un édredon. Je ne peux plus bouger. Ni respirer. Je n'existe plus. Pas sans Vicky.

Mardi matin, j'essaie de retourner au collège mais, lorsque je vois ces bouquets de fleurs toujours plus nombreux à l'endroit de l'accident, cet amoncellement de roses, de lilas et de freesias, ces bougies allumées et cette ménagerie de peluches, c'est plus que je n'en peux supporter. Je prends mes jambes à mon cou.

– Je croyais que tu détestais la course à pied !

Vicky trotte à mon côté, les cheveux fixés par des barrettes bleues assorties à son tee-shirt. Elle porte un pantalon blanc et des baskets. Lorsqu'elle me dépasse, je découvre des ailes blanches peintes sur le dos de son tee-shirt.

– Mignon, pas vrai ? Et très à propos. Je te présente l'ange Vicky.

La semaine dernière, nous avions croisé une fille qui portait ce tee-shirt et Vicky s'était extasiée.

– Maintenant, je peux mettre ce que je veux, dit-elle. Alors que toi, tu es obligée de porter cet horrible uniforme ! Pourquoi ne rentres-tu pas chez toi pour te changer puisque tu sèches les cours ?

— Papa pourrait m'entendre. Il n'est pas encore couché.

— Et alors ? Il ne va pas se fâcher contre toi, vu les circonstances.

Vicky n'a jamais compris ma relation avec mon père. Il est capable de se mettre en colère à n'importe quel moment. Je ne sais pas si c'est parce qu'il travaille la nuit. En général, il me laisse tranquille mais, quand il est de mauvais poil, il s'en prend à moi pour un oui ou pour un non. Parfois, il pète carrément les plombs, il se met à crier des horreurs, le poing levé. Il ne nous a jamais frappées, maman et moi, mais il se met à boxer les coussins du canapé. Une fois, il a donné un coup si violent dans le mur de la cuisine que des écailles de plâtre sont tombées. Ses phalanges saignaient mais ça ne l'a pas ému plus que ça.

Maman dit que c'est une honte et qu'il n'était pas comme ça avant la fermeture de la première usine où il travaillait. Elle dit aussi que c'est un porc, qu'elle ne peut plus le supporter et qu'elle partirait demain si elle pouvait.

Je préférerais mille fois habiter chez Vicky que dans ma propre maison. Son père ne se met jamais en colère. Il adore Vicky. Elle a toujours été sa petite fille chérie. Il n'arrête pas de la cajoler, il rit à chacune de ses blagues, lui passe la main dans les cheveux, siffle quand elle met une nouvelle robe, la prend par la taille et l'appelle son rayon de soleil...

Mais tout ça, c'est fini.

— Mon papa, dit Vicky, les traits tirés par le chagrin.

— Je sais.

– Et ma maman…

– Oui. Mais il reste nous deux, Vicky.

– Puisque c'est comme ça, je vais te suivre comme une ombre, je ne te lâcherai plus. Viens, allons nous amuser. J'en ai par-dessus la tête de toute cette tristesse. Si on allait… Si on allait à Londres ?

Vicky et moi, nous allons ensemble au collège ou au parc, le samedi nous faisons les magasins du quartier, nous allons au cinéma ou nous mangeons chez McDonald's, mais nous n'avons jamais droit à un vrai jour de sortie. Et encore moins à Londres.

– C'est défendu !

– Mais non. Allez. S'il te plaît. Si on te demande, tu n'auras qu'à dire que c'était mon idée.

– C'est ça, et on va me croire ! On va surtout me prendre pour une cinglée.

Après tout, je suis peut-être déjà folle. Je me dirige vers la gare d'un pas décidé. Dans mon porte-monnaie, j'ai un billet de dix livres prévu pour une excursion sans intérêt avec la classe. Je préfère mille fois une excursion avec Vicky.

J'achète un billet aller-retour au tarif enfant.

– Pour moi, c'est encore moins cher, dit Vicky.

Elle saute le portillon et dévale l'escalier en effleurant les marches du bout de ses baskets. Je la suis au pas de course et, en arrivant sur le quai, j'emboutis une grosse dame en train de lire le journal local.

– Hé, regarde où tu marches ! Ah, les jeunes !

– Pardon. Nous…

– Pas « nous », pauvre idiote, me souffle Vicky.

Elle gonfle ses joues et bombe le torse pour imiter la grosse dame. Je ne peux pas m'empêcher de pouffer. La dame fronce les sourcils. Puis elle me dévisage avec curiosité.

– Hé ! Tu es la fille du journal ! dit-elle en tapotant de l'index une photo en noir et blanc.

L'espace d'un instant, je crois qu'elle s'adresse à Vicky. Puis je découvre une photo de moi, toute floue, les paupières mi-closes sous la lumière des flashes, avec cette légende : « Jane Marshall, la meilleure amie de Vicky ; trop émue pour parler. »

– Jane ! relève Vicky avec dédain. Il faut toujours qu'ils écorchent les noms. Encore heureux qu'ils ne se soient pas trompés sur le mien.

– C'est toi, n'est-ce pas ? dit la femme en agitant son journal. Tu n'as pas l'air si émue que ça.

– Ce n'est pas moi.

– Mais si ! Regarde, tu portes le même uniforme.

– Je suis dans le même collège mais pas dans la même classe. Je ne connaissais pas Vicky, je vous assure.

Elle n'a pas l'air de me croire.

– Laisse tomber la vieille taupe, dit Vicky, en passant un bras translucide sous le mien. Viens, allons à l'autre bout du quai. Oublie-la. On va s'amuser.

Nous nous éloignons de la dame et le train ne tarde pas à arriver. Une fois dans le wagon, j'ôte ma cravate et je remonte les manches de ma veste pour masquer un peu mon uniforme. Maintenant que le train file en direction de Londres, je prends peur. Je ne sais pas trop où aller, je ne connais pas bien la ville. Maman me met toujours en garde contre ces pervers qui hantent les gares de Londres pour entraîner les fugueuses dans la prostitution.

– Au moins, on gagnerait des sous, dit Vicky. Mais arrête de te faire du mauvais sang. On va faire du shopping, pas vrai ? Encore que tu n'auras pas les moyens d'acheter grand-chose. Moi, pas de problème : je pourrai choisir ce que je veux. Même chez les grands couturiers. On va où ? A Covent Garden ? C'est plein de boutiques chics par là-bas, pas vrai ?

– Je n'en sais rien. Vicky, tu connais le chemin ?

– Facile. Suffit de monter jusqu'au ciel et de redescendre en piqué. Je peux aller où je veux, à la vitesse que je veux. Regarde !

Elle se faufile par la fenêtre en battant des pieds comme si elle nageait le crawl, puis se met à voler parallèlement au train, les cheveux au vent.

– Tu vois ! crie-t-elle.

Elle pirouette sur elle-même, part en vrille.

– Reviens ! Tu vas te blesser !

Elle rit si fort qu'elle en fait des sauts de carpe.

– Je ne crains plus rien, idiote. Tiens, je vais te montrer.

Elle oblique vers une maison, fonce droit sur les cheminées et les antennes de télévision qui en hérissent le toit. Mais, au lieu de s'empaler dessus, elle passe au travers et ressort de l'autre côté.

Je la regarde bouche bée. Elle me fait signe de la main puis s'élève dans le ciel comme une fusée, toujours plus haut, jusqu'à disparaître. Je passe la tête par la fenêtre, essayant en vain de l'apercevoir. Elle est plus haut que le plus grand des peupliers, plus haut que la flèche de l'église, plus haut que la volée d'oiseaux. Je suis morte de peur à l'idée qu'elle puisse crever les nuages et gagner l'au-delà.

– Vicky ! Vicky, reviens !

La voilà qui s'engouffre de nouveau par la fenêtre ouverte, la chevelure tout ébouriffée, les joues écarlates.

– Tu m'as vue monter en chandelle ? Plutôt cool, non ?

– Incroyable.

– Ça te plairait d'en faire autant ?

– Tu parles !

– Rien de plus facile. Tu n'as qu'à me suivre.

– Quoi ?

– Ouvre la fenêtre en grand et saute.

– Mais je ne sais pas voler. Je vais tomber.

– Oui, et après tu pourras voler, pas vrai ?

– Tu veux dire... me tuer ?

– Ce n'est pas la mer à boire, Jade, je t'assure. Rien qu'un petit saut. Et tu seras avec moi pour l'éternité. C'est bien ce que tu voulais, non ?

– Oui, mais...

– Allez. Je te tiendrai la main pour t'aider.

– Mais je ne veux pas mourir. Toi, c'est différent. C'était un accident.

– Tu en es sûre ?

– Ticket, s'il vous plaît !

Le contrôleur ouvre la porte du compartiment et me regarde d'un air bizarre.

Instinctivement, je porte la main à mon visage. Des larmes coulent sur mes joues. Je renifle, je déglutis, je cherche mon ticket.

– Vous vous sentez bien, mademoiselle ?

Je hoche la tête. Que faire d'autre ? Je ne peux pas lui dire la vérité. Ou bien il y aura des hommes en blouse blanche qui m'attendront à la gare de Waterloo avec une camisole de force.

– Vous ne devriez pas laisser la vitre baissée. Le vent va vous emporter.

Il referme la fenêtre. Puis il poinçonne mon ticket et me laisse seule.

Vicky est partie.

Je reste assise à pleurer. J'ai peur qu'elle ne revienne plus jamais. Ou peur qu'elle revienne.

Je ne sais plus ce que je fais dans ce train. Dès l'arrivée à Londres, je vais en prendre un autre en sens inverse. Mais lorsque je descends de voiture à Waterloo, toujours en larmes, Vicky est là, sur le quai. Elle se précipite pour me donner l'accolade.

– Te voilà ! Oh, ne pleure pas, idiote. Je ne pensais pas vraiment ce que je t'ai dit. Je n'ai pas envie que tu te suicides. Tu es fâchée contre moi ?

Elle passe un bras sur mes épaules et tente d'essuyer mes larmes du revers de la main.

– Je ne suis pas fâchée.

Une femme qui descend du train me jette un regard étonné. Elle me prend sans doute pour une échappée de l'asile. Vicky s'esclaffe.

– Viens, Jade, amusons-nous. On va trouver notre chemin les doigts dans le nez. On prend le métro, hein ?

Nous allons d'abord à Piccadilly Circus parce que nous sommes toutes les deux persuadées que c'est le centre de Londres.

Nous explorons le Trocadéro bras dessus bras dessous puis nous entrons chez un glacier. J'ai assez d'argent pour un cornet double à la cerise, notre parfum préféré. Un soir que je dormais chez Vicky, nous en avons mangé toute une boîte à nous deux. Elle lèche ma glace avec délice.

– Tu sens le goût ?

– Un peu.

– Mais tu te nourris ?

– Non. Et je ne vais pas non plus aux toilettes.

Vicky pirouette sur elle-même.

– Je suis devenue un être éthéré, sans aucun besoin physique. Encore que ça reste à vérifier. Il faudrait que j'essaie de rouler un patin à M. Lorrimer pour voir l'effet que ça me fait.

En descendant Regent Street, nous tombons sur *Hamleys*, le grand magasin de jouets.

– Tu te rappelles la fois où on y était allées, un Noël ? On devait avoir cinq ou six ans. On a reçu chacune une poupée Barbie. J'ai appelé la mienne Barbara Ann.

– Et la mienne Barbara Ellen ! J'en étais folle. Sauf que tu as voulu jouer à la coiffeuse, tu te souviens ? Tu disais que nos Barbie seraient bien plus belles avec les cheveux courts.

– Oh, oui ! Et la tienne a fini avec la boule à zéro comme Sinead O'Connor. Je la trouvais très cool.

– Pas moi. Et ce n'était pas juste, parce qu'en fin de compte tu n'as pas coupé les cheveux de ta poupée.

Cette histoire m'est restée en travers de la gorge. Barbara Ellen était hideuse avec son scalp rose parsemé de touffes blondes. J'ai eu beau lui tricoter un petit bonnet, elle ne me plaisait plus autant. Et Vicky qui passait son temps à coiffer les longs cheveux épais de Barbara Ann…

– Ne me dis pas que tu fais encore la tête à cause de cette bêtise ? Tiens, tu vas pouvoir prendre ta revanche. Sors ta trousse.

– Quoi ?

– Tu as des ciseaux, non ?

– On ne va quand même pas couper les cheveux des poupées chez *Hamleys* !

– Tu n'y es pas du tout. Sors tes ciseaux. Maintenant, coupe-moi les cheveux.

– Non !

– Allez, venge-toi. Rase-les. J'ai toujours voulu savoir de quoi j'aurais l'air avec les cheveux courts.

– Je ne peux pas faire ça. Tu as des cheveux magnifiques. Tu sais que j'ai toujours eu envie d'en avoir de pareils, au lieu de ma queue de rat.

Je fais mine de la couper. Deux touristes japonais m'observent avec inquiétude, comme si j'allais me faire hara-kiri.

– C'est ça, tu n'as qu'à couper un peu des tiens aussi, me lance Vicky, l'œil brillant.

Je connais trop bien cette lueur. Je n'ai pas envie qu'elle me joue encore un sale tour. Et puis d'autres passants suivent avec appréhension les mouvements de mes ciseaux.

– Je les range, dis-je en les fourrant dans mon cartable.

– Alors je prendrai les miens.

Elle fait apparaître une paire de ciseaux, comme si elle venait de passer au rayon mercerie du grand magasin de l'au-delà. Les lames lancent des éclairs tandis qu'elle ramène ses cheveux en avant et…

– Non ! Ne fais pas ça ! Arrête !

Une femme sursaute, une autre serre son sac à main contre sa poitrine.

– Quoi ? Qu'est-ce qu'il y a, petite ? Quelqu'un t'a fait mal ?

Je secoue la tête et m'éloigne. Je n'ai pas le temps de leur expliquer. Il faut à tout prix que je raisonne Vicky. Sa longue chevelure auburn...

– Tu es folle ! Arrête !

J'ai beau la supplier, quand elle a une idée en tête, je n'ai jamais réussi à la faire dévier et j'ai encore moins d'influence sur elle aujourd'hui qu'avant.

Avec un grand éclat de rire, elle se met à cisailler ses cheveux. De longues mèches soyeuses tombent comme des plumes sur ses épaules. Les lames cliquettent jusqu'à ce qu'il n'y ait plus sur son crâne que des petites touffes hérissées çà et là. Elle est toujours aussi belle – Vicky ne sera jamais laide – mais on dirait qu'un mouton céleste est venu brouter sur sa tête.

– Alors, comment tu trouves ?

– Vicky, tu es folle !

– Je veux voir !

Elle cherche en vain son reflet dans une vitrine.

– Oh, c'est vrai, les fantômes n'ont pas de reflet. Parfois, j'oublie à quel point c'est bizarre, la mort. Surtout ne t'avise pas de m'enfoncer un pieu dans le cœur, Jade.

– C'est pour les vampires, pas les fantômes.

– C'est du pareil au même, non ? Hé, j'ai toujours rêvé de devenir un vampire.

Elle découvre ses dents et fait mine de me mordre dans le cou.

– Tu crois que mes canines vont pousser ?

– Tu devrais plutôt t'inquiéter de la repousse de tes cheveux.

– Pas de problème.

Elle secoue sa tête tondue et aussitôt de longues mèches auburn caressent ses épaules, tombent en cascade sur son visage.

– Ouah ! Comment as-tu fait ?

– Je n'en sais rien ! La force de l'imagination, voilà tout. Comme quand on était petites et qu'on jouait aux fées et aux sorcières. Tu ne marchais pas, tu courais. Tu te souviens la fois où je t'ai jeté un sort pour t'immobiliser ? Tu n'arrivais plus à bouger pour de vrai, même quand ta mère s'est fâchée et t'a poussée.

– Pourvu qu'elle n'apprenne pas que nous avons séché les cours.

– Elle n'en saura rien. Ne te fais pas de bile. Viens, entrons chez *Hamleys*.

Nous jouons avec les ours en peluche et nous passons en revue les nouvelles Barbie comme si nous étions retombées en enfance. Puis nous remontons Oxford Street et nous passons des heures chez *Top Shop*. Là, nous devenons de vraies jeunes filles et nous emportons une pile de vêtements sexy dans les cabines d'essayage.

J'ai l'air un peu cruche dans les débardeurs moulants parce que ma poitrine est toujours aussi plate que celle d'un garçon. En revanche, ils vont très bien à Vicky. Elle n'a pas besoin de les enfiler. Il lui suffit de dire : « Je l'essaie ? » pour qu'ils apparaissent sur elle.

– Où sont tes vêtements ? Est-ce qu'ils sont stockés dans un recoin invisible ?

– Ils disparaissent quand je n'y pense plus, dit-elle. C'est moi qui décide.

Elle sourit fièrement.

– Mais comment ça marche ?

– Je n'en sais rien, dit-elle en haussant les épaules. Tu sais bien que je suis nulle en sciences. Tu n'as qu'à poser la question à Mlle Robson.

C'est notre prof de physique. Elle est plutôt bien. J'aime la façon dont ses yeux brillent comme des étoiles lorsqu'elle nous parle de l'univers et de l'infini. Mais quand elle aborde la théorie du Big Bang ou des trous noirs, mon cerveau fait bang et plonge aussitôt dans un trou noir. Je ne comprends plus rien à ce qu'elle raconte. De toute façon, je me vois mal lui expliquer pourquoi j'ai besoin d'informations sur les dimensions parallèles. Si je commence à lui parler de fantômes et d'apparitions, elle va me remettre illico entre les mains de Mme Dewhurst.

Mme Dewhurst est notre prof d'instruction religieuse. J'hésite à me confier à elle. Elle n'est pas jeune et branchée comme Mlle Robson. Elle est vieille, porte des robes chasubles en taille extra-large et de petits escarpins qui ne tiennent à ses pieds que par des élastiques sur le devant, comme les enfants en ont parfois sur leurs pantoufles. Quand il est question de la vie après la mort, Mme Dewhurst ne donne jamais de réponse franche et directe. C'est toujours : « Certains prétendent que… » et « Pour d'autres, il s'agit seulement d'un mythe… » Elle est assez calée sur les religions exotiques mais Vicky n'est ni hindoue ni bouddhiste, alors il y a peu de chances qu'elle se conforme à leurs enseignements.

– Je ne suis aucun enseignement, dit-elle. J'invente mes propres règles.

– Tu ne changeras jamais, dis-je tendrement. Mais comment as-tu deviné ce que je pensais ? Tu lis dans mes pensées ?

– Bien sûr. Rien de nouveau sous le soleil.

Elle a raison. Nous avons toujours été en étroite communion, à croire que nous disposons d'un passage secret pour entrer et sortir de la tête de l'autre.

– A quoi est-ce que je pense en ce moment ? demande Vicky.

Elle essaie un bustier très sexy, en dentelle noire transparente, sur un pantalon moulant qui ne cache rien de ses formes.

Je la regarde un moment.

– Tu es en train de te dire : « Voilà la tenue idéale pour mon enterrement ! »

Et nous éclatons de rire.

L'enterrement.
L'enterrement.
L'enterrement.

Oh, mon Dieu. Je ne suis plus d'humeur à rire. Je me demande comment je vais tenir le coup.

Je ferme les yeux et je m'enfouis sous la couette.

– Non ! Debout, feignante !

Vicky tire sur les couvertures, m'attrape par les cheveux, me fait des chatouilles dans le cou. Elle est plus légère qu'une toile d'araignée, mais impossible d'ignorer sa présence.

– Va-t'en !

– Je t'interdis de dire ça. Et si je te prenais au mot ? Ah ! Ça te réveille, hein ? Allez, il faut que tu te mettes sur ton trente et un. C'est mon grand jour !

– Oh, Vicky, j'ai un trac affreux.

– Et moi, je suis folle d'impatience. J'espère que ça va être géant, avec plein de fleurs, des torrents de larmes et la foule qui chante mes louanges.

– Tu es la fille la plus vaniteuse que je connaisse.

Sans blague. Ôte-toi de mon lit si tu veux que je me lève.

Maman fait soudain irruption dans ma chambre, le plateau du petit déjeuner dans les mains. Elle me regarde bizarrement.

– Jade ? A qui parlais-tu ?

– A personne.

– Je t'entendais depuis la cuisine.

– Euh. Je ne sais pas. Peut-être que je rêvais. J'ai dû parler dans mon sommeil.

Maman pose le plateau sur mes genoux puis s'assied au pied du lit, un peu gênée. Vicky prend place à côté d'elle et lui décoche de petits coups de coude de temps à autre.

– Jade, je t'ai entendue, dit maman sans me regarder dans les yeux. Tu parlais à... Vicky.

– J'ai dû rêver d'elle.

– Menteuse ! s'écrie Vicky.

– Je sais que c'est très dur pour toi, ma chérie. Mais peut-être qu'après l'enterrement... lorsque Vicky reposera en paix..

– En paix ? Je n'ai pas l'intention de reposer en paix ! Je vais hanter la terre entière !

Elle glisse la tête sous le drap et se met à jouer les fantômes de dessins animés. C'est si drôle que je ne peux pas m'empêcher de rire, à la grande surprise de maman. Peut-elle voir bouger le drap ?

Je baisse le nez sur mon plateau et je renifle un bon coup, pour faire croire à une soudaine bouffée de chagrin.

– Je ne sais pas quoi te dire, Jade. Enfin, bref... Avale ton petit déjeuner. Et finis le müesli. Il faut que tu te remplisses l'estomac si tu veux tenir toute la matinée.

L'enterrement est à onze heures. Maman m'accompagne. Papa veut venir aussi ! Il n'a dormi que deux heures, il a un teint de papier mâché, ses cheveux se redressent bizarrement à cause de sa position sur l'oreiller, mais il insiste.

– Je connaissais la petite Vicky depuis qu'elle était haute comme ça, dit-il, la main à hauteur de son genou. Et comment que je vais à son enterrement !

Papa a toujours eu un faible pour elle. Il semblait même l'apprécier tout particulièrement depuis qu'elle avait grandi. Maman l'aimait beaucoup moins, en revanche. Cette année, elle m'a tannée à son sujet, comme quoi il était temps que je coupe le cordon et que je me fasse de nouveaux amis. Elle avait l'air de trouver bizarre que je sois aussi proche de ma meilleure amie.

Maman n'a pas de vraies amies. Elle papote bien avec les dames du quartier et il y a eu une période où elle faisait de la gym avec des collègues de bureau, mais c'est tout. Elle s'entend beaucoup mieux avec les hommes qu'avec les femmes. Je l'ai vue flirter ici et là. Rien de sérieux. Enfin, je ne crois pas.

Je ressasse ces bêtises sur mes parents parce que c'est trop angoissant de penser à l'enterrement. Vicky est calme à présent. Elle se fait presque oublier, immobile dans son coin, occupée à promener son regard sur ma chambre, à examiner les bibelots qui encombrent encore mes étagères : mes nounours, mes Cendrillon et Ariel en plastique, une poignée de dalmatiens et ma pauvre Barbara Ellen au crâne rasé.

Il y a aussi tous mes livres de contes de fées. Parfois, Vicky et moi, nous nous déguisions en fées, avec un vieux tutu de danse et des écharpes de soie en guise d'ailes, et nous marchions sur la pointe des pieds en agitant nos voiles.

– Maintenant, je suis une fée pour de vrai, dit-elle d'une voix triste.

Avec un petit entrechat, elle s'élève sans effort et sort par la fenêtre. Elle est sans doute partie retrouver ses parents. Les miens ont un air raide et emprunté, maman dans son tailleur bleu marine du bureau, un foulard rose noué autour du cou et un rouge à lèvres de même couleur, papa dans son costume gris à rayures trop petit pour lui, de sorte que les pans de la veste se relèvent dans le dos, exhibant son gros derrière. Je ne suis pas beaucoup plus élégante. Je voulais mettre mon pantalon noir mais maman a dit qu'il n'en était pas question, alors je porte la jupe longue grise que j'ai toujours détestée, un chemisier blanc et ma veste foncée. Je me sens affreuse. D'un autre côté, le jour est mal choisi pour faire une scène à propos de ma tenue.

Nous avons prévu de partir à dix heures et demie pour nous donner de la marge, mais papa s'éternise aux toilettes pendant que maman et moi faisons le pied de grue dans le couloir. C'est à cause du travail de nuit, ça lui dérègle les intestins. Ensuite, il y a des voitures mal garées devant notre place de parking et il nous faut un temps fou pour nous extirper de là. En fin de compte, nous arrivons au crématorium avec à peine quelques minutes d'avance. Il y a foule. Ça grouille tellement que nous restons là, confus, à nous demander ce qui se passe. Puis Mme Cambridge vient au-devant de nous, vêtue d'un tailleur gris et d'un large chapeau noir, si élégante que j'ai du mal à la reconnaître.

– Te voilà, Jade ! Nous t'avons cherchée partout. Tu as manqué la répétition hier.

Au secours ! Maman me dévisage en fronçant les sourcils. Mais Mme Cambridge me prend par le bras et me pousse à travers la foule vers l'entrée de la chapelle.

– Tu vas t'asseoir au premier rang, avec toute la classe de Vicky. Nous avons tenu à ce que les élèves participent au service. Et nous avons pensé que tu aimerais lire une rédaction de Vicky. Tout est organisé. Va t'installer devant. Monsieur et Madame Marshall, il y a deux places au fond. Il faut que je dise deux mots à M. Failsworth.

Elle s'éloigne sur ses hauts talons noirs.

– C'est une de tes profs ? demande papa.

– Comment se fait-il que tu aies raté la répétition ? siffle maman.

– Je ne me sentais pas bien. J'étais à l'infirmerie.

– Ma pauvre chérie. Tu aurais dû m'en parler. Tu gardes toujours tout pour toi, Jade.

Une chose est sûre, je préfère ne pas mentionner que j'ai fait une escapade à Londres avec le fantôme de ma meilleure amie.

Je ne vois pas Vicky.

Je vois Vicky.

Mon Dieu, voilà son cercueil, recouvert de lilas blanc. Son odeur douceâtre est aussi envahissante que celle du chloroforme. Je titube jusqu'au premier rang et m'assieds à côté de Vicky-Deux. Ma Vicky est à quelques mètres de là, couchée dans son cercueil. Je me demande comment ils l'ont habillée. Une chemise de nuit couleur lilas ? Avec peut-être des fleurs dans les cheveux et entre les mains ? Mme Waters l'a-t-elle habillée comme une grande poupée inerte ?

– Tu te sens bien, Jade ? souffle Vicky-Deux.

– Un peu vaseuse.

Je m'affaisse sur mon siège, sentant la sueur perler à mon front.

– Change de place avec moi, Vicky-Deux, chuchote Sam Gras-Double.

Il enfouit la main dans la poche de sa veste. Une fois assis à côté de moi, ou plutôt contre moi, presque à m'écraser, il parvient à sortir un petit sac en plastique contenant des sandwiches.

– Tu ne vas pas manger ici !

– Ce n'est pas pour les manger, idiote ! C'est pour toi. Le sachet. Au cas où tu serais malade.

– Et tes sandwiches ?

Il plonge la main dans le sac, puis secoue la tête, n'osant pas les déballer dans la chapelle.

– Tant pis, tu n'auras qu'à vomir dessus, dit-il avec abnégation.

Mme Cambridge regarde dans notre direction. Elle se faufile jusqu'à nous, en tâchant de faire le moins de bruit possible avec ses talons. Je m'attends à ce qu'elle nous gronde, mais elle me serre l'épaule, compatissante.

– Tout va bien se passer, Jade, ne t'inquiète pas. A propos de cette lecture... Tu préfères qu'on demande à Vicky ?

J'écarquille les yeux. Puis je comprends qu'elle parle de Vicky-Deux, assise à côté de moi. Vicky-Deux est gentille, mais je ne supporte pas l'idée qu'elle puisse s'immiscer entre ma Vicky et moi.

– Non, je vais la lire.

Je prends le cahier de Vicky. Je jette un œil dedans. Mme Cambridge a choisi un texte court. De toute façon, les rédactions de Vicky étaient toujours très brèves. Les seules fois où elles atteignaient une longueur décente, c'est lorsqu'elle me soudoyait pour les rédiger à sa place. J'avais acquis un certain talent pour m'approprier son style. Je finissais même par écrire de meilleures rédactions sous son nom que sous le mien.

Je ne connaissais pas celle-là. Mais je me souviens du sujet. « Les raisons d'être heureux... » A première vue, ça paraît un drôle de choix pour un enterrement. L'orgue entonne une marche funèbre. Derrière moi, plusieurs filles pleurent déjà, alors que la cérémonie n'a pas encore commencé.

M. et Mme Waters arrivent les derniers, en compagnie du vicaire. M. Waters soutient sa femme d'une main ferme. Elle porte un tailleur noir tout neuf, une jupe courte et étroite, un chapeau noir et blanc. On dirait qu'elle va assister au Grand Prix de l'Arc de Triomphe. Quand il croise mon regard, M. Waters me fait un petit signe de la tête, mais sa femme ne me remarque même pas. Peut-être qu'elle ne veut pas me voir. A moins qu'elle en soit incapable. Elle a le regard vitreux. On lui a peut-être prescrit un tranquillisant pour l'aider à tenir le coup.

Moi aussi, j'ai l'impression d'être sous l'effet d'une drogue. Tout me semble irréel. Le vicaire prononce

73

quelques mots d'introduction et nous nous levons tous pour chanter *Le Seigneur est mon berger*. Je pense à cette image de Jésus en longue tunique blanche, un grand bâton recourbé à la main, qui se trouvait dans la chambre de mamie. Ça n'a rien à voir avec Vicky. Puis M. Failsworth se lève et entame son laïus. Pour un peu, on se croirait au collège. Je déteste sa façon de parler, pleine de componction et d'optimisme feint. Je parie qu'il s'entraîne devant le miroir de sa salle de bains. Je déteste tout autant ce qu'il raconte, à propos d'une inconnue nommée Victoria, une fille pleine de vitalité, appliquée, généreuse et bonne camarade. Balivernes. Vicky se débrouillait toujours pour ne pas en faire une rame, elle pouvait être très méchante et elle se contrefichait du collège, qu'elle appelait un trou à rats. Et elle avait des mots encore plus durs à propos de M. Failsworth. Il ne lui a pratiquement jamais adressé la parole mais le voilà qui fait mine de s'interrompre à chaque instant pour contenir son émotion et qui termine son mini-sermon avec des trémolos dans la voix.

Nous chantons un autre hymne. Le vicaire se tourne vers le premier rang, de l'autre côté de l'allée. Je me demande si Mme Waters va dire quelques mots. Non, ses yeux sont fixés sur ces affreuses tentures au fond de la chapelle. Quant à M. Waters, il pleure, le visage tout congestionné. C'est le grand-père de Vicky qui se porte devant l'assemblée, une feuille de papier froissé entre les mains.

– Notre Vicky…

Il commence la lecture de son texte, d'une voix lente et embarrassée, trébuchant sur certains mots.

74

C'est un vieux monsieur très gentil et je sais que Vicky adorait son papy mais ça n'en reste pas moins un supplice de l'entendre radoter sur « notre petite Vicky » comme s'il s'agissait d'un bébé de deux ans, dont on évoque les mots d'enfant et les petites manies. J'ai envie de me boucher les oreilles. Pour me distraire, je fais de petits claquements avec ma langue.

— Ça va ? s'inquiète Sam Gras-Double.

Je ne me rendais pas compte que je faisais autant de bruit.

— Vicky se serait drôlement marrée en entendant ce baratin à la noix, dit-il.

Je me tourne vers lui, surprise. Au moins, il connaît la véritable Vicky. Jusqu'à présent, je n'ai jamais pris Sam Gras-Double très au sérieux. D'ailleurs, personne ne le prend au sérieux. C'est le gros qui fait le pitre dans la classe. On ne le chambre pas à cause de son poids, mais on ne le compte pas non plus avec les garçons. Je ne m'étais jamais rendu compte qu'il connaissait aussi bien Vicky.

Je lui adresse un petit sourire.

— Tu te débrouilles très bien, Jade, dit-il. Mon déjeuner est encore intact.

— Ne crie pas victoire trop tôt ! je murmure, parce que Janice Biggs est en train de jouer une sarabande de Haendel à la flûte et après, ce sera mon tour.

Je me lève dès que Janice a fini. Je ne me sens pas dans mon assiette. Sam me soutient par le coude. Je lui fais un signe de la tête puis je viens me placer face à l'assistance. La chapelle est pleine à craquer, il y a des gens debout dans le fond. Vicky a fait salle comble. Elle doit triompher, les bras chargés de lilas.

– Les raisons d'être heureux...

Je commence. C'est du Vicky tout craché, au point que je me mets d'emblée à lire avec sa voix. Presque comme si c'était elle qui parlait.

La vie est aussi excitante qu'un tour de montagnes russes. C'est amusant de piquer un fou rire avec sa meilleure copine, amusant de sortir avec un garçon, amusant de danser, de veiller toute la nuit quand on dort chez une amie, amusant aussi de mettre la musique très fort et de chanter à tue-tête, amusant de faire des blagues aux gens, de faire du shopping avec sa maman, de se percher sur le fauteuil de son père et de le mener par le bout du nez, amusant de se regarder dans le miroir et de tirer la langue...

Encore une raison d'être heureux... La vie est belle. Pas seulement la nature, le ciel bleu, les arbres en fleurs et les petits lapins blancs. La ville aussi peut être belle. Je trouve que le centre commercial de Lakelands est magnifique ! Les grandes maisons sur la colline sont magnifiques, Londres est magnifique, New York est encore plus beau et il me tarde d'y aller. Voyager est magnifique. Les vacances aussi.

Une dernière raison d'être heureux... La vie est très courte. On ne sait pas le temps qu'il nous reste à passer sur terre, alors mieux vaut en profiter à fond. Ne gaspillez pas votre temps à vous plaindre. Amusez-vous !

Un silence impressionnant tombe sur la chapelle. Comme si tout le monde retenait son souffle. Les gens me regardent comme si Vicky venait de prononcer elle-même ces quelques phrases, cachée dans mon dos.

Après la cérémonie, je ne retourne pas au collège. M. et Mme Waters nous ont invités chez eux, maman, papa et moi. C'est la première fois que je vais chez Vicky en son absence. C'est un peu comme si tout le mobilier avait disparu.

Ses parents se tiennent au milieu du salon, désemparés. Personne ne sait quoi leur dire. Le repas attend sur la table, sous des napperons blancs, mais la mère de Vicky ne semble pas disposée à ouvrir le buffet. Elle ne débouche pas les bouteilles de vin ni le cognac. Elle reste là, les yeux dans le vide. Quand on lui adresse la parole, elle hoche la tête, mais on voit bien qu'elle n'écoute pas. M. Waters est de nouveau en larmes. La grand-mère de Vicky doit l'entraîner un moment hors de la pièce.

La conversation s'épuise. Les invités commencent à lorgner sur la nourriture. Ce n'est pas encore l'heure du déjeuner mais ils trouveraient au moins une occupation à se remplir l'estomac. Je me tiens raide comme un cierge entre mes parents. Personne ne vient nous parler. Papa se dandine d'un pied sur l'autre et bâille à s'en décrocher la mâchoire. Maman le fusille du regard, craignant qu'il ne nous fasse remarquer. Elle est persuadée que tout le monde nous snobe parce que nous habitons sur Oxford Estate.

– Je n'y peux rien, souffle papa. Je n'ai pratiquement pas dormi.

Il a le visage luisant et les yeux bouffis de sommeil. Lorsqu'il bâille de nouveau, exhibant tous ses plombages, maman fronce les sourcils et laisse échapper un long soupir exaspéré, mais il n'est pas question de commencer une scène de ménage ici.

La grand-mère de Vicky revient d'un pas affairé auprès de Mme Waters.

– J'ai mis de l'eau à chauffer. Une tasse de thé nous ferait tous du bien, je crois. Si nous mangions ?

C'est comme si elle venait d'allumer la lumière. Les convives s'agglutinent contre la table et font circuler les assiettes pleines. Les joues encore humides et les yeux rougis, le père de Vicky réapparaît, les bras chargés de cannettes de bière fraîche.

– Il y a déjà du vin sur la table, lui fait remarquer sa femme.

– Oui, mais il y en a qui préfèrent la bière.

– Tu veux organiser une beuverie le jour des obsèques de notre Vicky ? s'irrite Mme Waters, d'une voix si forte que tout le monde fait silence.

Eux aussi sont à deux doigts de la dispute. La mère de Vicky s'aperçoit que tous les regards sont braqués sur elle. Ses lèvres remuent imperceptiblement, comme si elle jurait dans sa barbe, ses yeux se remplissent de larmes et elle va se réfugier dans la cuisine.

– Mon Dieu, soupire la grand-mère de Vicky.

Elle semble chercher du regard un secours. M. Waters fait non de la tête. Ils décident de ne pas la suivre. Le problème, c'est que le thé n'est pas prêt. On s'en passera pour le moment. Mais les sandwiches et les petits pâtés en croûte paraissent vite très secs, sans rien pour les faire descendre. La grand-mère de Vicky se dirige vers la cuisine puis se ravise. Elle se tourne vers moi.

– Jade, va donc faire le thé, tu seras gentille.

– Je ne peux pas ! La mère de Vicky…

Je suis sans doute la dernière personne au monde qu'elle ait envie de voir. Mais maman me pousse du coude.

– Vas-y, Jade, rends-toi utile.

– Mais maman…

Elle se penche vers moi.

– Ne va pas m'embarrasser devant tout le monde, souffle-t-elle.

Je suis bien obligée d'obéir. Alors va pour la cuisine. J'ai peur de trouver la mère de Vicky en train de s'entailler les veines avec le couteau à découper le rôti – à moins qu'elle ne préfère le brandir contre moi. Mais elle est devant un placard ouvert, occupée à tremper l'index dans le paquet de sucre roux pour le lécher ensuite. J'observe son manège. Tremper et sucer. Tremper et sucer. Puis elle devine ma présence et se retourne brusquement, manquant de renverser le sucre.

– Je… Ce n'est pas…

Elle cherche ses mots.

– Je sais. C'est un truc que faisait Vicky.

79

– Dieu sait si j'ai pu la gronder à ce sujet. C'est sale, de sucer son doigt comme ça et de le replonger après dans le sucre. Mais elle ne m'écoute jamais, la coquine.

– Elle le fait aussi avec le miel.

– Oui, ma Vicky a toujours adoré les sucreries. Pourtant elle n'a pas une seule carie. Quelle chance.

– Je sais. Moi, j'ai plein de plombages.

– Les dents... Est-ce qu'elles restent ? Ou tu crois qu'elles...

Elle agite la main, incapable de prononcer le mot « brûlent ».

Nous frissonnons toutes les deux à l'idée de ce qui se passe derrière ces lourdes tentures, dans le crématorium.

– Je n'ai pas su quoi faire de ses cheveux. Je les aime tellement. Quand elle regarde la télévision, elle s'assied au pied du canapé, le dos contre mes genoux, et je la coiffe. Elle aime ça, elle se tortille...

– Comme un chat.

– Oui. Je ne supportais pas l'idée que ses beaux cheveux disparaissent en fumée. Alors j'ai apporté une paire de ciseaux aux pompes funèbres. Je comptais couper une longue mèche mais je n'en ai pas eu la force. Je ne pouvais pas laisser ma petite chérie défigurée. Je voulais qu'elle soit parfaite.

Elle pétrit le paquet de sucre.

– Elle est encore avec moi, tu sais, Jade. Tu vas croire que je suis folle – comme Charlie. Le médecin dit que c'est normal mais il pense aussi que j'ai perdu la tête. N'empêche, je la vois, Jade.

– Je sais. Moi aussi.

Elle me regarde fixement.

– Tu la vois ?

– Oui. Et elle me parle.

– Elle te parle ?

Son visage se tend.

– Elle ne me parle pas, à moi. Pourquoi ne me parle-t-elle pas ?

C'est fou. Nous trouvons encore le moyen de nous chamailler à propos de Vicky, même après sa mort. Ça a toujours été comme ça. Mme Waters aurait voulu qu'elle l'accompagne dans les magasins, ou chez les grands-parents, bref qu'elles aient une vraie relation mère-fille. Seulement Vicky réussissait presque toujours à se défiler pour venir me retrouver. Elle ne lui en a jamais fait directement le reproche. Mais je sais qu'elle m'en voulait beaucoup.

– Elle te parle.

– Oui. Et elle parle souvent de vous. Elle est triste parce que vous lui manquez.

– Je n'ai pas besoin de toi pour me dire ce que ressent ma Vicky ! dit-elle en me bousculant.

– Pardon.

Je mets des pincées de thé dans la théière pour pouvoir quitter la cuisine au plus vite.

– Qu'est-ce que tu fais ? C'est ma cuisine ici.

– Je sais. Je ne voulais pas vous déranger, mais on m'a dit d'aller préparer le thé, la grand-mère de Vicky et les autres. Ils voudraient une tasse de thé.

Elle me regarde comme si elle avait du mal à en croire ses oreilles.

– Ils veulent une tasse de thé, répète-t-elle lentement. C'est ça, hein ? Chaque chose en son temps.

Une bière, une tasse de thé, et tout ira pour le mieux. Vicky est morte ? La belle affaire ! Buvez votre thé, descendez une cannette et que la fête commence !

Elle ouvre en grand la porte du frigo, faisant tinter les bouteilles de lait.

– Au moins tu me comprends, toi. Tu l'aimes autant que je l'aime, n'est-ce pas ?

« Plus », dis-je en mon for intérieur.

– Oh, Jade !

Mme Waters laisse échapper la bouteille de lait.

Le liquide blanc éclabousse mes chaussures, ma jupe. Nous ouvrons des yeux ahuris.

– Il ne faut jamais pleurer sur le lait renversé, dit-elle, puis elle éclate de rire.

Mais bientôt les larmes ruissellent sur ses joues. Elle jette ses bras autour de mon cou et me serre fort. Je réponds à son étreinte et nous restons un moment enlacées au milieu d'une mare de lait.

– Comment allons-nous faire pour survivre ? dit-elle.

Je n'en sais rien.

Au moins, le jour des funérailles, il y a un rituel à suivre. Mais après vient le lendemain,

et le jour suivant,

et ainsi de suite…

Les journées s'étendent à l'infini, le temps ralentit, au point que j'ai arrêté de me fier à ma montre. Moi aussi, je fonctionne au ralenti. A chaque pas, j'ai l'impression d'être embourbée jusqu'au genou, chaque bouchée s'éternise comme si je mâchais un chewing-gum. Tous mes gestes me coûtent un tel effort qu'il me faut cinq minutes pour me brosser les dents ou pour lacer mes chaussures. Quand je parle, ma voix paraît déformée, comme si j'étais réglée sur la mauvaise vitesse.

Au collège, tout le monde reste très gentil avec moi mais mon comportement est souvent en décalage. J'erre dans le brouillard pendant que les autres courent au soleil. Il y a encore des filles qui pleurent Vicky, mais par à-coups, par crises passagères. Certaines semblent se complaire dans l'évocation de sa mort. Elles me posent sans arrêt des questions sur l'accident et les minutes qui ont suivi. Elles veulent tous les détails. Je réponds que je ne me souviens pas. Je ne me souviens pas. Je ne me souviens pas.

Aujourd'hui, je suis convoquée dans le bureau de M. Failsworth, le directeur. Nous sommes assis face à face, j'ai droit à un café et à une assiette de biscuits, comme un parent d'élève. Il me débite un épouvantable tissu d'âneries sur la brièveté de la vie, les étapes du deuil et la vie qui continue malgré tout. Une chose est sûre, il n'a aucune intention de s'arrêter, lui. Je grignote un biscuit au chocolat pour me distraire mais, depuis la mort de Vicky, j'ai beaucoup de mal à avaler. Je dois tout le temps déglutir, gloup, gloup, gloup et ça me rend folle, mais dès que j'ai de la nourriture dans la bouche, je n'arrive plus à contrôler les contractions de ma gorge. Ce qui devait arriver arrive. Je m'étrangle, éclaboussant M. Failsworth de miettes de biscuit au chocolat. Je doute qu'il m'invite de sitôt pour un nouveau discours d'encouragement.

Mme Cambridge m'a aussi prise entre quatre-z-yeux, mais de manière moins formelle. Elle dit qu'elle comprend exactement ce que je traverse et que je dois beaucoup souffrir. J'imagine qu'elle essaie d'être gentille. Mais comment pourrait-elle comprendre ? Et je ne souffre pas autant que je pouvais m'y attendre. En tout cas, ce n'est pas une douleur lancinante. Plutôt une tristesse diffuse. D'ailleurs, je voudrais que ça fasse plus mal. Maintenant, je n'arrive même plus à pleurer.

J'ai entendu maman chuchoter à papa que je tenais le coup mieux qu'elle ne craignait. Ils se réjouissent que j'aie repris les cours et que je me conduise presque normalement.

Ça fait peur de penser qu'un mort vivant a pris ma place et que personne n'a rien remarqué.

Le pire, c'est que Vicky a disparu. J'essaie de la rappeler. En vain. Parfois je fais comme si elle était là, je lui parle, mais je sais bien que ce n'est pas la réalité. C'est une sorte de jeu qui ne fonctionne pas parce que je suis trop grande pour jouer à faire semblant.

Je ne sais pas comment la faire revenir. Parfois, je songe à la rejoindre, comme elle me l'a suggéré. Je réfléchis à la manière de m'y prendre mais c'est trop compliqué. Je ne suis pas assez courageuse pour sauter du haut d'un immeuble. Et puis si on s'écrabouille par terre, on reste peut-être comme ça dans l'au-delà ? J'ai aussi envisagé de me pendre mais je ne vois pas d'autres cordes que celles de la salle de gym, au collège, et M. Lorrimer est toujours fourré là-bas, à sautiller dans son survêtement, un œil sur le matériel. De toute façon, je ne sais pas faire de nœud coulant.

Il y a bien les cachets mais pas la peine d'y songer pour le moment à cause de mes difficultés à avaler. Il me faudrait toute la journée pour arriver à l'overdose. Sans compter que je ne suis pas sûre de retrouver Vicky. Elle a peut-être disparu pour de bon maintenant qu'elle a été incinérée.

J'aurais voulu qu'elle soit enterrée, pour pouvoir me recueillir sur sa tombe. Une tombe avec un ange en marbre blanc, ça lui aurait plu.

Je passe des heures devant le collège au cas où elle hanterait encore l'endroit où la voiture l'a renversée. On ne peut plus marcher sur le trottoir à cause des bouquets qui vous arrivent au genou, les fleurs fraîches recouvrant les fanées. Il y a aussi des nounours, des lapins, des moulinets et des dizaines de lettres. Certaines ne sont plus que des pâtés d'encre bleue parce qu'il a plu depuis sa mort, mais d'autres sont protégées dans des pochettes en plastique. Il y a aussi des photos de Vicky, découpées dans le journal local et collées sur du carton, avec une bordure d'étoiles argentées et de cœurs autocollants. Je regarde ces Vicky de papier dont le sourire semble me narguer.

– Parle-moi ! S'il te plaît. Je ferai n'importe quoi. N'importe quoi. Mais reviens et parle-moi.

Une main se pose sur mon épaule. Je sursaute. C'est M. Lorrimer. Mon Dieu. C'est Vicky qui l'envoie.

– Ma pauvre Jade, dit-il en me tapotant l'épaule.

Devant ma mine affolée, il retire sa main comme s'il venait de toucher un radiateur brûlant. Il a peur que je me méprenne sur ses intentions.

– Bon, eh bien, je… je vais te laisser tranquille.

– Monsieur Lorrimer…

Ma voix ressemble à un croassement. J'ai du mal à croire ce que je vais dire :

– Monsieur Lorrimer, j'ai bien réfléchi. J'aimerais m'inscrire au club de course à pied, le vendredi.

Il a l'air surpris. Il y a de quoi.

– Je sais que je suis nulle.

– Allons, tu te fais du mal, me reprend-il gentiment, alors que toute personne un peu sensée reconnaîtrait que j'ai raison.

– Vicky voulait que je m'inscrive et j'ai pensé…

– Je vois. A mon avis, Jade, c'est une excellente idée. Viens donc vendredi prochain. On sera tous ravis.

– Même si je n'arrive pas à suivre ?

– Encore une fois, ce n'est pas de la compétition. Juste pour s'amuser. Tu peux commencer à l'allure qui te convient, Jade.

– Même à la vitesse d'une limace ?

– Il n'y a pas que des guépards parmi nous, tu sais. Tu trouveras d'autres limaces pour t'accompagner.

Il s'éloigne. Mais je ne suis pas seule. A côté de moi, Vicky a un sourire jusqu'aux oreilles.

– Oh, Vicky, tu m'as tellement manqué !

– Tu vas détester la course à pied.

– Je sais.

– Pauvre Jade. Et pauvre de moi. J'en ai assez de ces histoires de fantôme. Tu m'as manqué, toi aussi.

Je tends les bras. Je ne peux pas la toucher, mais elle est bien là. De nouveau avec moi.

Nous y voilà. Le jour de la course à pied. Bah, je me dis qu'après tout ce n'est pas la mort. Expression idiote. Il y en a tellement comme ça. A mourir de rire. Faire une tête d'enterrement. J'en crève d'envie... Tous ces petits clichés sur la mort qui me glacent le bout de la langue.

J'enfile mon short et mon tee-shirt. Je les ai jetés en vrac dans mon casier et ils sont tout chiffonnés. J'ai l'impression que le short ne me va plus. L'élastique bâille à la ceinture et les jambes flottent. Il va falloir que je fasse attention, sinon je vais le perdre en courant.

Je n'ai pas non plus les chaussures qu'il faut, juste de vieilles tennis à trois francs, mais je m'en fiche. De toute façon, il me faudrait au moins des sandales ailées pour sentir une quelconque différence.

Je me prépare à l'humiliation. Julie Myers et Laura Moss sont aussi en train de se changer. Julie est la championne toutes catégories du collège et cette déménageuse de Laura est presque aussi costaud. Je parie qu'à eux tout seuls ses cuissots couleur saumon pèsent plus lourd que moi. Je me sens maigrelette et ridicule. Elles me regardent bizarrement, l'air de se demander ce que je viens faire ici.

Je sors du vestiaire d'un pas mal assuré et me mets à trotter en direction du terrain de sport. On n'a pas encore commencé et je me sens déjà épuisée. Des super athlètes font des exercices d'assouplissement comme s'ils s'apprêtaient à courir le cent mètres aux jeux Olympiques. Je crois que je vais m'éclipser en douce…

Aïe! M. Lorrimer m'a aperçue. Il me fait un grand coucou et s'approche à grands bonds, comme s'il était monté sur des ressorts.

– Jade! Content que tu sois venue. Comment ça va? Pardon, question stupide. Cela dit, tu vas peut-être constater qu'un peu d'exercice ne fait pas de mal. Bon, j'ai cru comprendre que la course à pied n'était pas ta tasse de thé, je me trompe?

Je hoche la tête avec ferveur.

– Alors on va y aller en douceur. Commence par faire plusieurs fois le tour du terrain en marchant.

– En marchant?

– D'un pas énergique. Pas comme si tu léchais les vitrines. C'est un bon échauffement.

Un échauffement? Mais j'ai déjà trop chaud. Mon tee-shirt me colle à la peau.

– Pour activer la circulation du sang, explique M. Lorrimer, tandis que je souffle sur ma frange. Tiens, bois un coup d'abord.

Il me tend une bouteille d'eau.

– A mon avis, tu n'aurais pas trop non plus d'un bon repas. Tu as déjeuné aujourd'hui, Jade?

– Oui, je mens.

– Tu as maigri.

– Vous allez me faire pleurer!

C'est Sam Gras-Double qui arrive en soufflant comme une locomotive, énorme dans son grand survêtement gris.

M. Lorrimer éclate de rire.

– J'aime ton sens de l'humour, Sam.

– Je sais, il y a de quoi se tenir les côtes.

Les poings sur la bedaine, il prend la pose de M. Univers.

– Regardez un peu Superman dans ses œuvres!

Le visage grimaçant, il tente de piquer un sprint.

– Hé! Attends, Sam! Il faut que tu marches un peu d'abord. Vous n'avez qu'à vous tenir compagnie, Jade et toi. Mais d'abord enlève-moi ce survêtement, sinon tu vas fondre sur place.

– C'est le but de la manœuvre, monsieur Lorrimer. Brûler les graisses.

– Tu ne vas pas les brûler, tu vas cuire dans ton jus. Enlève-le.

– Je suis vraiment obligé, monsieur? Ça me gêne de me déshabiller devant Jade.

Je crois qu'il fait juste le guignol mais il devient rouge écarlate en ôtant son survêtement. On dirait un éléphant qui s'extirpe de sa peau.

– Qu'est-ce que tu fabriques ici? je lui demande. Tu détestes courir à peu près autant que moi.

– Oui, eh bien, j'ai envie de retrouver la forme.

Nous constatons très vite que nous sommes loin du compte. Un tour de terrain en marchant d'un bon pas et nous voilà hors d'haleine.

– Après tout, je me demande si je tiens tant que ça à être en forme, halète Sam.

– A quoi ça sert, d'abord, d'avoir des muscles ? dis-je, tandis que les autres nous dépassent d'une foulée tout en souplesse.

Au troisième tour, nous ne marchons plus, nous rampons.

– J'ai l'impression que vous avez besoin d'un coup de nerfs, dit M. Lorrimer en venant à notre hauteur. Allongez le pas, tous les deux… Après on tentera une petite accélération.

– Je préférerais une bonne sieste, s'étrangle Sam.

– Fais marcher un peu plus tes jambes et un peu moins ta langue.

M. Lorrimer s'éloigne au petit trot.

– Peut-être qu'il était obèse quand il était jeune. Puis il s'est inscrit à un club de course à pied et bing, il s'est transformé en Super-Fend-la-bise.

– Sûr.

Ma bouche est si sèche que je peux à peine parler. Toute l'eau de mon corps s'écoule par mes pores. Oh, là, là, j'espère que mon déodorant est efficace ! Je me sens dégoûtante. Heureusement que je suis seulement en train de marcher avec Sam Gras-Double. Et qu'il est dans un état pire que le mien, le visage luisant comme de la gelée de framboise. Il a beau s'éponger le front à grands coups de mouchoir, il dégouline.

Trois accros du fitness, des élèves de troisième, nous dépassent à fond de train en lâchant une blague méchante à propos des baleines. Ils éclatent de rire. Sam se met aussi à rire de bon cœur.

– Oui, Moby Dick, c'est moi !

Et il fait mine de cracher de l'eau par son évent. Les autres rient de plus belle et s'éloignent.

– Il faut toujours que tu fasses le clown, Gras-Double.

– Autant mettre les rieurs de son côté, plutôt que les avoir contre soi.

Je le regarde. Pas le gros tas de gelée rouge, le garçon à l'intérieur.

– Je comprends. Désolée... Sam.

Il me sourit.

– Je vais te faire perdre l'envie de sourire, dit M. Lorrimer, qui revient déjà à notre hauteur. Bon, vous êtes assez échauffés maintenant. Essayez de courir un demi-tour.

– On ne peut pas se reposer un peu d'abord ? suggère Sam.

– Vous serez obligés de reprendre l'échauffement à zéro ! Allez, vous deux. Courez un peu. Au petit trot.

Sam démarre en grimaçant de douleur. Je serre les poings et j'accélère.

– Non, ne vous crispez pas. Détendez-vous. Flottez !

– Oui, c'est ça, je suis fait pour flotter, dit Sam, en donnant de la bande.

– Essaie de courir droit, Sam. Et le corps droit. Jade, n'arrondis pas le dos, tu vas paraître encore plus petite. Étire-toi.

Il sautille à côté de nous sans effort, pendant que nous nous traînons au bord de l'asphyxie.

– Je ne peux plus respirer ! gémit Sam.

– Mais si ! Tant que tu peux parler, il y a de l'espoir.

Je ne peux plus parler. J'émets des râles et autres gargouillis jusqu'à ce que M. Lorrimer prenne pitié de nous et nous laisse marcher un moment.

– Et c'est censé nous faire du bien ? je suffoque.

– Je suis au bord de la crise cardiaque, dit Sam.

– Ne compte pas sur moi pour le bouche-à-bouche.

– Je connais un moyen plus facile de perdre du poids : coupez-moi les deux jambes. Et moins douloureux.

Nous puisons dans nos réserves. C'est un vrai calvaire, mais au moins j'ai quelqu'un avec qui pester. D'habitude, Vicky court loin devant, crâneuse...

– Jade ? Qu'est-ce qu'il y a ? Tu as un point de côté ?

Je secoue la tête, incapable d'expliquer.

– C'est à cause de Vicky ?

Je le regarde avec étonnement. Je ne pensais pas qu'il devinerait. Bizarre, je commence à bien aimer Sam Gras-Double.

C'est peut-être parce que nous étions tous les deux si attachés à Vicky. Au fait, où est-elle passée ? Je croyais qu'elle allait voler à côté de moi. Après tout, c'est sa faute si je me ridiculise sur cette piste. Elle m'attend peut-être à la sortie, près des fleurs.

Je prends une douche rapide et je file. A la grille, il y a de nouveaux bouquets de fleurs, des roses, beaucoup de lilas blanc, avec leur lourd parfum de cimetière.

– Le fleuriste du coin doit s'en mettre plein les poches, dit Vicky.

Elle atterrit à mes pieds sans crier gare, m'obligeant à piler net.

Elle rit.

– Alors tu as peur des revenants, maintenant ?

– Tu n'es pas un revenant. Tu es Vicky.

– L'Ange Vicky, dit-elle en joignant les mains comme à la prière.

Elle jette un coup d'œil par-dessus son épaule.

– Mes ailes ne poussent toujours pas. J'ai beau les imaginer, de grandes ailes aux plumes chatoyantes, je n'arrive pas à sortir le plus petit bourgeon duveteux. Bah ! Du moment que je me débrouille pour le reste. Regarde un peu.

Son jean et son débardeur noirs virent au blanc le plus éclatant, sa chevelure gonfle pour lui dessiner un halo doré. Baissant les yeux vers les fleurs qui jonchent le sol, sous ses bottines nacrées, elle esquisse un geste du bras. Aussitôt, des boutons de rose viennent lui tresser un collier, entourent ses poignets et ornent chacun de ses doigts. Des lilas blancs la couvrent d'un manteau parfumé qui ondoie légèrement à chacun de ses mouvements altiers. Un ange dans toute sa splendeur.

Puis soudain elle écarte les jambes, soulève le talon de ses bottes, rejette la tête en arrière et rit aux éclats.

– Et maintenant je suis Elvis ! Ce manteau blanc, c'était un peu trop pour moi. Affreusement kitsch, très Elvis dernière période.

Elle imite le King en se déhanchant dans son pantalon à pattes d'éléphant et en troquant ses bottines blanches pour des chaussures de daim bleu électrique.

Je dois me sauver pour ne pas éclater de rire.

– Attends-moi ! Tu n'as pas assez couru aujourd'hui ?

Vicky décrit une pirouette au-dessus de ma tête, envoie valser ses chaussures de daim et arrache les fleurs qui retombent en tourbillonnant comme une pluie de confettis.

– Où étais-tu pendant la course à pied ? J'y suis allée pour te faire plaisir. Mais tu avais disparu.

– J'étais là, sur la ligne de départ. C'est toi qui as décidé de courir avec cet empoté de Gras-Double.

– Sam est sympa.

– Oooh… Sam !

– La ferme, Vicky.

– Tu ne m'obligeras pas à la boucler. Je peux continuer et continuer et continuer et continuer et continuer…

Elle me crie dans les oreilles.

– Vicky, arrête !

– Continuer et continuer et continuer !

– Tu me rends folle !

– C'est à ça que servent les fantômes. Continuer et continuer et continuer et continuer et…

– Jade ?

Une voiture vient se ranger contre le trottoir. J'étais en train de secouer la tête pour essayer de chasser la voix de Vicky. Lorsque j'arrête, j'ai l'impression que la rue tangue. Tout est flou.

– Jade, ça va ?

C'est Mlle Gilmore, notre prof de littérature. Aïe ! j'espère que je ne parlais pas à voix haute à Vicky.

Elle se poste juste à côté de Mlle Gilmore, l'œil pétillant, curieuse de voir la suite.

– Je vais bien, merci.

– Je te dépose ?

Ça me paraît une excellente idée. Après tout cet exercice, je suis vannée. J'ai très envie de monter dans la voiture de Mlle Gilmore mais Vicky me fusille du regard en faisant non de la tête.

– C'est gentil à vous, mais je préfère marcher.

– Comment te sens-tu, Jade ?

Je hausse les épaules.

– Tu as magnifiquement lu la rédaction de Vicky, l'autre jour. Pour un peu, on t'aurait prise pour elle. Tu sais que j'ai créé un cours d'art dramatique ? Ton nom était sur la liste, puis il a été rayé.

– Je... j'ai changé d'avis.

– Tu ne peux pas en changer de nouveau ? Je suis sûre que tu as beaucoup de talent.

Le mot scintille un instant au firmament, mais Vicky continue de me jeter des regards furibonds.

– Je n'en sais trop rien, mademoiselle Gilmore.

Elle croit que je joue les timides.

– Pourquoi ne viendrais-tu pas la semaine prochaine, pour te faire une idée ? Tu retrouveras plusieurs filles de ta classe. Madeleine et Sarah.

Vicky pousse un soupir d'impatience. Elle avance à travers Mlle Gilmore, surgissant de son polo bleu marine. De ses mains translucides, elle me saisit la tête et essaie de me faire dire non.

– Jade ? Qu'est-ce qu'il y a ? Tu as un torticolis ?

– C'est... juste un peu raide.

– Ce que je trouve un peu raide, moi, c'est que tu

veuilles faire du théâtre ! Pas question. Ce n'était pas ce qu'on avait décidé ! D'ailleurs, c'est à cause de ce fichu club que…

Je ne peux pas la laisser continuer.

– Je suis désolée, mademoiselle Gilmore.

Et je m'enfuis. Vicky m'emboîte le pas, triomphante.

Je cours jusqu'au coin de la rue avant de m'effondrer contre le mur.

– Qu'est-ce qui ne va pas ? demande Vicky.

– Je me sens mal.

– Tu te sens mal ? Et moi alors ?

– Je sais. Désolée.

– Tu n'as pas l'air. Il fallait te voir, en train de suer et de haleter avec cet abruti de Sam Gras-Double !

– Je me tiendrai à distance de Sam.

– Sam Gras-Double.

– Le gros, l'énaurme Sam Gras-Double.

– C'est mieux, dit Vicky en souriant. On va chez toi ? Allez, on fait la course.

Elle virevolte dans les airs et me laisse loin derrière elle.

Maintenant, je sais à peu près la tournure que vont prendre les choses. Au fond, ça ne change pas beaucoup de quand Vicky était en vie. Elle exigeait alors toute mon attention. Elle l'a gardée.

Il faut du temps aux gens pour qu'ils comprennent. Surtout Sam Gras-Double. Il m'attend lorsqu'on sort en récréation, il essaie de s'asseoir à côté de moi à la cantine et il me guette à la sortie, le soir, quand je rentre à pied à la maison.

– Débarrasse-toi de cet abruti ! ordonne Vicky.

– Désolée, Sam, dis-je.

Vicky fronce les sourcils.

– Désolée, Gras-Double. J'ai envie de rentrer seule.

Il en reste tout ahuri. En voyant son expression, je me sens mal dans mes baskets. Impossible de le regarder droit dans les yeux. Je me tourne vers les fleurs déposées pour Vicky. Elles jonchent le trottoir à présent, encombrent le caniveau et obstruent les bouches d'égout, provoquant une petite inondation à chaque averse. Quelqu'un a bien essayé d'enlever les bouquets les plus fanés mais il y a eu de violentes protestations. Désormais, les passants empruntent docilement le trottoir d'en face pour ne pas abîmer les fleurs de Vicky. Elle est la seule à pouvoir fouler ce sanctuaire. Elle fait des pointes parmi les tulipes, danse au milieu des marguerites, sautille sur le tapis de roses. Elle s'arrête parfois pour lire quelques cartes ou regarder les photos, elle se penche pour caresser un nounours. Je l'ai vue pleurer sa propre mort. D'autres jours, elle compte les témoignages d'affection en fanfaronnant, se déclare la fille la plus regrettée de la ville, voire de tout le pays. Il y a eu un reportage d'une minute sur une chaîne locale. Papa l'a enregistré pour moi. Chaque fois que je visionne la cassette, Vicky s'installe à côté de moi et fait la grande dame. Mais, lorsqu'elle est de mauvaise humeur, elle envoie valdinguer les fleurs, les piétine comme des feuilles mortes, ironise sur les messages du genre : « Vicky, tu seras toujours présente dans mes rêves. »

– Tu peux toujours rêver, ma pauvre fille, si j'étais encore en vie, je ne gaspillerais pas ma salive pour toi.

Aujourd'hui, elle est d'une humeur de chien. Elle s'acharne à bombarder Gras-Double de nounours fantômes et de roses transparentes. Elle n'arrête pas de le houspiller et de lui lancer des obscénités.

– Qu'est-ce que tu regardes ? me demande Gras-Double.

– Toi !

– Non. On dirait… Ça t'arrive de faire comme si Vicky était encore là ?

– Non !

– Dégage ! Pour qui il se prend, cet abruti ? Va fourrer ton nez ailleurs, gros lard. Vas-y, Jade, dis-lui. Dis-lui !

J'obéis et je prends la fuite, rongée par le remords.

– Pourquoi es-tu si méchante avec lui, Vicky ? je demande lorsque nous arrivons à la maison. Il t'aime bien. C'est pour ça qu'il tourne autour de moi. Pour m'aider. On dirait qu'il me comprend.

– Et alors ? Ça nous fait une belle jambe. Qu'est-ce qu'il y a entre Gras-Double et toi ? Tu es amoureuse de lui ou quoi ?

– Ne dis pas de bêtises.

– Ce n'est pas moi qui deviens toute chose quand ce porc rapplique, le groin au vent.

– Arrête ! Ne parle pas de lui comme ça. Pourquoi es-tu si énervée ?

– Pourquoi ? Je suis censée prendre ma mort avec allégresse, c'est ça ?

– D'accord, pas la peine de monter sur tes grands chevaux.

Je m'attends à la voir mimer des acrobaties de cavalière, mais elle s'affaisse soudain contre moi.

– Pardonne-moi, Jade. J'en ai assez. Ça me prend de temps en temps. Surtout quand tu discutes avec des gens et que je n'ai personne à qui parler.

– Je suis là. Tout va bien, Vicky.

Je fais de mon mieux pour passer un bras sur ses épaules.

– Je ne veux parler à personne d'autre. Rien qu'à toi.

Sam Gras-Double semble avoir reçu le message.

Il ne me colle plus au collège et ne m'attend plus à la sortie. Quand il me voit arriver, il prend discrètement la direction opposée. Enfin, aussi discrètement que sa corpulence le lui permet.

Mais il y a encore le club de course à pied le vendredi après-midi. Sam en fait partie, j'en fais partie et M. Lorrimer nous demande de courir ensemble. Sam fait semblant d'avoir un problème avec ses baskets et me laisse prendre de l'avance, puis il marche à une vingtaine de mètres derrière moi, pendant que le prof lui adresse de grands signes pour l'inciter à me rattraper. Du coup, j'accélère l'allure et Sam reste dans les choux, mais il est obligé de faire du surplace chaque fois que je marque une pause, tenaillée par un point de côté.

— Hé, Jade, il y a de l'eau dans le gaz entre Sam et toi? me demande M. Lorrimer.

— Non, dis-je, en me tenant le ventre.

— Penche-toi. La douleur va passer dans une minute. Comment ça, non? Ne me raconte pas de blagues. Vous vous êtes disputés?

— Non! Écoutez, je n'ai rien à faire avec lui, monsieur Lorrimer. Je me contrefiche de ce gros plein de soupe.

Vicky applaudit des deux mains.

M. Lorrimer fronce les sourcils.

— Allons, Jade, ne sois pas si dure avec lui. Je ne savais pas que tu t'amusais à insulter tes camarades.

Je m'en veux terriblement. J'attache beaucoup d'importance à l'opinion que M. Lorrimer a de moi. Et à celle de Sam. Mais Vicky compte encore plus à mes yeux.

Je me remets à courir malgré mon point de côté. M. Lorrimer m'accompagne. Je ralentis. Il ralentit. Pas moyen de le semer.

– A ton avis, pourquoi Sam s'est-il inscrit à ce club ?

Je n'en sais rien.

– Pour perdre du poids ?

– Pour te tenir compagnie. Il a repéré ton nom sur la liste. Il savait que ce serait dur pour toi, sans Vicky.

– Arrêtez, vous me fendez le cœur, l'interrompt Vicky. Surtout ne te laisse pas attendrir, Jade. Ou tu vas te retrouver avec Gras-Double sur les bras.

Il y a peu de risque. Il me suit comme une ombre, mais à distance respectable. M. Lorrimer renonce et appuie sur le champignon. Je cours. Je marche. Je cours. Je marche. Vicky pirouette et virevolte, pirouette et pirouette. Elle s'amuse. J'ai envie de jouer avec elle. Après tout, c'est à cause d'elle si je me suis inscrite à ce club. Mais ce n'est pas comme la semaine dernière. Je m'ennuie.

– Comment peux-tu t'ennuyer avec moi ! s'indigne Vicky.

Désormais, elle ne me laisse plus une minute de répit. Elle est tout le temps là. En classe, elle s'impose à côté de moi et m'empêche d'écouter. Quand j'essaie d'écrire, elle m'arrache mon stylo.

– Laisse tomber, sale petite bûcheuse ! Les profs ne s'attendent pas à ce que tu travailles. Tu es encore sous le coup du chagrin, pas vrai ?

Quand un professeur s'arrête à ma table, elle fait le zouave. Souvent, je suis obligée de baisser la tête et de me cacher derrière ma frange pour ne pas éclater de rire.

Parfois aussi j'ai envie de pleurer. Madeleine est très gentille avec moi, surtout maintenant que ce pauvre Sam se tient à l'écart. Comme elle a remarqué que je ne prends plus de notes en classe, elle m'a offert de recopier les siennes. Et à la récréation, elle partage son Kit-Kat avec moi.

– Non, Madeleine, mange tout.

Mais elle ne veut rien entendre.

– En principe, je ne devrais pas manger de chocolat, dit-elle, en se donnant une tape sur le ventre. Je donnerais n'importe quoi pour être aussi mince que toi, Jade.

Elle est folle. Je déteste mes poignets noueux, mes coudes et mes genoux pointus. C'est tellement embarrassant d'avoir une poitrine plate et des hanches droites.

– Ça, tu vaux le coup d'œil, se moque Vicky. Mais tu es quand même un poil mieux que cette grosse citrouille. Qu'est-ce que tu fabriques avec tous ces boudins ? Débarrasse-toi d'elle !

– Je ne vois pas comment, dis-je à voix haute.

Madeleine ouvre de grands yeux surpris.

– Je pourrais peut-être commencer par suivre un régime. J'en ai besoin. Samedi dernier, ma sœur m'a acheté un pantalon super mais il est un peu trop serré. Il me va si je retiens ma respiration. Au fait, tu veux venir chez moi ce soir, Jade ? Tu me donneras ton avis.

– Dis-lui qu'avec son gros derrière elle ne devrait pas porter de pantalon, me crie Vicky.

– Désolée, Madeleine, je ne peux pas.

– Et demain après les cours ?

– Non, je dois rentrer directement.

– Alors samedi ? Jenny, Vicky-Deux et moi, on pensait aller à la piscine. Tu veux venir ?

Je m'imagine en train de faire des longueurs dans une piscine bleu turquoise. Cette idée me paraît si apaisante que je hoche la tête sans réfléchir. Mais Vicky ne l'entend pas de cette oreille.

– Tu ne vas pas aller nager avec ces bécasses ! Qu'est-ce qui te prend ?

Je sais ce qui me prend.

– Alors tu viendras ?

– Non. Je ne peux pas. Je suis désolée, il faut que j'y aille. S'il te plaît, ne me propose plus de faire des choses avec toi, Madeleine. Je ne peux pas.

– J'essaie juste d'être gentille !

– Je sais. Mais… Mais je ne peux pas être ton amie.

Sur ce, je la quitte. Je me sens si mal.

Le lendemain à la récré, c'est l'horreur. Madeleine me tourne le dos et mange son chocolat toute seule. Le temps de trouver un moyen de lui expliquer, elle est déjà partie rejoindre Jenny et Vicky-Deux.

Sam Gras-Double bat la semelle un peu plus loin mais, quand je regarde dans sa direction, il plonge le nez dans son livre ou son magazine.

– Tu n'es pas déçue au moins ? dit Vicky. Il faut te ressaisir, Jade !

Me ressaisir ? J'ai l'impression que c'est elle qui s'est emparée de moi, malgré ses mains sans force. Je retourne à l'intérieur et me réfugie dans les toilettes. J'aimerais pouvoir lui échapper mais elle me suit comme mon ombre.

– Vicky ! Attends-moi dehors !

J'essaie de la repousser.

– Tu n'y arriveras pas…

Je lui claque la porte au nez mais elle joue les passe-murailles et vient pratiquement s'asseoir sur mes genoux.

– Tu ne peux pas me laisser seule une minute ?

– Attention. Je risque de partir pour de bon.

– Pourquoi es-tu aussi pénible ?

Autant que je me souvienne, elle n'a jamais été aussi hargneuse. Elle a toujours eu ses lubies, mais on s'amusait bien ensemble, on riait comme des folles…

– Oui, la mort, c'est à crever de rire, dit Vicky.

– Arrête de lire dans mes pensées !

– Arrête de lire dans les miennes !

– Si seulement tu étais moins agressive. Tu en veux à la terre entière. Même à moi.

– Parce que ce n'est pas juste ! Tu es vivante et je suis morte. Pourquoi pas l'inverse ?

Elle plonge à travers mon corps et en ressort aussitôt, me laissant toute frémissante. L'espace d'un instant, j'ai eu la sensation qu'elle avait entièrement pris possession de mon esprit.

– Arrête. Je déteste quand tu fais ça.

– Ne te plains pas. Tu as l'âme bien chevillée à ce corps maigrichon. Moi, je flotte dans le vide et j'ai horreur de ça.

– Quand tu es partie, tu sais, après la cérémonie… Où es-tu allée ?

– J'ai squatté un moment chez mes parents. Puis…

Vicky semble gênée. Elle esquisse un geste vague.

– Tu es montée ?

– A t'entendre, on dirait que je prends l'ascenseur ! Oui. Je suis montée.

– C'était comment ?

– Je n'ai rien vu. J'ai erré dans une sorte de néant. J'avais l'impression de n'être plus moi.

– C'est peut-être normal ?

– Je n'en sais rien. Je suis complètement ignare dans ce domaine. Je n'ai jamais mis les pieds à l'église. Peut-être que si on veut aller au paradis, il faut en connaître un rayon. Tu veux bien te renseigner pour moi, Jade ?

– Oui, mais comment ? Sauf erreur, il n'y a pas de *Guide du routard du paradis.*

– Je ne sais même pas si ça existe, le paradis. Les gens ont des croyances tellement différentes. Et les anges ? On pourrait regarder sur Internet.

Je la laisse m'entraîner à la bibliothèque. Je me mets en chasse sur l'ordinateur.

Des milliers de références circulent dans le cyberespace, mais la plupart correspondent à des récits plus ou moins loufoques, où l'on voit des anges apparaître dans une laverie automatique pour aider les vieilles dames à charger leur linge sale ou bien atterrir sur le toit des immeubles pour sauver les candidats au suicide.

– Tu crois que c'est mon rôle dans l'au-delà ? demande Vicky. Aider les mamies à laver leurs collants et rattraper les détraqués par la manche ? Pas très glamour, hein ?

J'essaie de lui dénicher des anges plus haut de gamme. Je suis obligée de remonter loin dans l'histoire. Je tombe sur des renseignements curieux à propos d'un certain Hénoch, témoin des secrets célestes, qui vivait au paradis au milieu de trois cents anges.

– Et qu'est-ce qu'ils faisaient ? me demande-t-elle, par-dessus mon épaule.

– Ils chantaient.

– Et ensuite ?

– Ils chantaient, c'est tout. D'une voix douce et monocorde.

– Bon sang, quel ennui, soupire Vicky. Eh bien, il va falloir que je m'entraîne.

La tête rejetée en arrière, elle se met à beugler une version très personnelle du cantique *Alléluia*.

– Alléluia ! Alléluia ! Alléluia ! Drôlement variées, les paroles... Alléluia !

– Chut ! Tais-toi, Vicky !

Dans la bibliothèque, les têtes se tournent. Soudain je comprends. Les gens ne peuvent pas entendre les cris de Vicky. Ils n'entendent que moi.

Deux élèves de sixième, dans la section biologie, échangent un coup de coude en ricanant et se tapotent la tempe avec le doigt. Quelques filles de troisième semblent plus compatissantes. Mme Cambridge me regarde depuis le bureau d'accueil, intriguée.

– Espèce de cinglée ! dit Vicky. Tu es rouge comme une pivoine, tu sais ?

J'essaie de l'ignorer, les yeux rivés sur l'écran de l'ordinateur.

Une volée d'anges me sourient sereinement, l'auréole sur le côté comme un canotier, les ailes blanches repliées pour qu'elles ne s'emmêlent pas, les pieds dissimulés sous de longues robes aux ourlets dorés.

– Tu t'intéresses aux anges, Jade ?

Oh, là là ! Mme Cambridge est juste derrière moi.

– Euh… Je travaille sur un dossier.

Elle ne dit rien.

– Jade, est-ce que tu vois un conseiller psychologique ?

– Pardon ?

– Un conseiller en deuil.

Je secoue la tête. Je ne sais même pas ce que c'est.

– Ce serait peut-être une bonne idée. Nous aurions dû y penser plus tôt. Tu veux que j'en touche un mot à tes parents ?

Je me mordille la lèvre. Je sais déjà ce que maman et papa pensent des conseillers.

– Ils vont croire que j'ai des problèmes au collège.

– Non, non, tu n'as pas de problèmes particuliers. Nous voulons juste t'aider.

Mme Cambridge approche son visage du mien.

– Tu veux bien que je t'aide, n'est-ce pas, Jade ? Je sais que ça doit être très dur pour toi, de vivre au quotidien sans Vicky.

Difficile de lui expliquer tout à trac que Vicky ne me lâche pas d'une semelle.

Visiblement, elle me croit déjà complètement maboule. Elle n'arrête pas de jeter des coups d'œil inquiets à la ribambelle d'angelots affichés sur l'ordinateur.

– Tu crois que Vicky est au paradis ? me demande-t-elle, rougissant presque de sa question.

– Non, madame Cambridge.

– On a du mal à l'imaginer dans la peau d'un ange, ajoute-t-elle en souriant.

– Elle ne manque pas d'air, celle-là ! s'exclame Vicky par-dessus mon épaule.

Je m'oblige à ne pas la regarder. J'essaie de me concentrer sur ce que dit Mme Cambridge. La voilà qui revient à la charge avec son aide psychologique.

– Je vais bien, madame Cambridge, vraiment, je vous assure.

Mme Cambridge est du genre tenace. Le soir, à sept heures et demie, juste à la fin du feuilleton télé, on sonne à la porte.

– Qui ça peut bien être ? ronchonne maman en rassemblant nos plateaux-repas.

Mon assiette est encore pleine.

– Jade, tu n'as rien mangé ! Tu vas devenir anorexique ! Si tu ne te forces pas un peu, tu es bonne pour une visite chez le médecin. Ted, va ouvrir.

– Tu es déjà debout, répond papa, sans bouger du divan.

– Feignant. Vas-y, Jade. Si c'est encore ces gamins qui vendent des billets de tombola, dis-leur que nous n'avons besoin de rien, d'accord ?

Ce ne sont pas les gamins. C'est Mme Cambridge, encore que j'ai du mal à la reconnaître. Cette fois, elle est en tee-shirt et pantalon de jogging, les cheveux mouillés qui tombent sur les épaules.

– Bonsoir, Jade. Je sors de mon club de gym et j'ai pensé que je pouvais passer te voir.

– Oh.

Je me rends compte que ce n'est pas la réponse appropriée. Mais je ne sais pas quoi faire. Je n'ai pas envie de l'inviter à entrer. Je serais morte de honte, surtout avec papa avachi sur le divan, encore en pyjama. D'un autre côté, je ne peux pas la laisser là dans le couloir. Le vide-ordures est de nouveau bloqué, des sachets de chips et des emballages de chocolat tourbillonnent autour de ses chevilles, sans parler de l'odeur.

– Jade, c'est encore ces gamins ? appelle maman.

– Non, c'est Mme Cambridge, je souffle vers la pénombre de l'appartement.

– Qui ça ?

Mme Cambridge fait celle qui n'entend pas. Pardessus son épaule, j'aperçois Vicky qui saute à cloche-pied dans le ciel, visiblement amusée par la situation.

Puis maman arrive, l'air méfiant.

– C'est Mme Cambridge, maman. Tu sais bien, du collège.

– Qu'est-ce que tu as encore fait, Jade ? dit-elle en fronçant les sourcils. Écoutez, quoi qu'elle ait fait, ce n'est pas vraiment sa faute, elle a été sous pression. Elle a très mal vécu la disparition de Vicky.

– Je sais, je sais, la rassure Mme Cambridge. C'est pour ça que je suis venue. Pour que nous puissions en discuter.

Elle regarde avec espoir l'appartement derrière nous.

– Vous feriez aussi bien d'entrer, mais il faut nous excuser. Nous n'attendions pas de visite.

Maman la fait entrer, avec un hochement de tête

réprobateur en direction du papier peint qui se décolle dans le vestibule.

– Nous sommes en train de refaire la décoration, marmonne-t-elle en gagnant le salon. Mon mari a promis cent fois de s'y mettre.

Papa est toujours affalé sur le divan, monopolisant les coussins, la veste de pyjama ouverte sur un tricot de corps à la propreté douteuse.

– Ted !

Il se redresse, se couvre la poitrine et caresse ses joues mal rasées.

– Faut m'excuser. Je travaille de nuit. D'ailleurs, va falloir que je me prépare.

– Non, s'il vous plaît, si vous avez un moment, monsieur Marshall. Madame Marshall. J'aimerais bavarder avec vous quelques minutes.

Papa prend un air perplexe.

– C'est Mme Cambridge, du collège, tente de l'éclairer maman. Tu sais bien, nous nous sommes croisés à l'enterrement. Le professeur de Jade.

Mentalement, papa coiffe la tête de Mme Cambridge d'un chapeau à large rebord. Il se redresse un peu plus.

– En fait, je ne suis pas son professeur principal, dit-elle, en prenant place sur le bord du divan. Je lui enseigne seulement le français.

– Ouais, bon, elle doit baragouiner comme une vache espagnole, dit papa. Elle tient ça de moi, pas vrai, Jade ? Un peu lente à l'allumage, question ciboulot.

– Non, non, Jade se débrouille très bien en français, dit Mme Cambridge.

Première nouvelle. Ma meilleure place en français, c'est cinquième ou sixième, et la dernière interro a été catastrophique.

– J'ai eu l'avant-dernière note au contrôle, dis-je d'une voix morose.

– Jade ! dit maman.

Elle se tourne vers Mme Cambridge.

– J'ai étudié le français jusqu'en terminale. Et l'espagnol. J'ai souvent pensé suivre des cours du soir pour enrichir mon vocabulaire.

– C'est une excellente idée, répond celle-ci. Jade, je sais que tes résultats n'ont pas été très bons ces derniers temps, mais il fallait s'y attendre. Tu dois te sentir perdue sans Vicky.

– Vicky ne l'aidait pas beaucoup, vous savez, dit maman. Au contraire, c'était toujours elle qui copiait sur notre fille. Jade lui faisait tous ses devoirs. Je lui ai toujours dit qu'elle était trop bonne poire.

– Ce n'est pas vrai, maman. On faisait nos devoirs ensemble.

– Elles étaient comme les deux doigts de la main, ces deux-là, dit papa, la larme à l'œil. Ah, c'était un joli brin de fille, la petite Vicky...

– Bon, on le saura, qu'elle t'avait tapé dans l'œil, l'interrompt maman, avant de se retourner vers Mme Cambridge. Vous voulez du café ? Nous avons du moulu ou de l'instantané. Vous préférez du thé ?

– Une tasse de café, merci. Instantané, c'est parfait. Tu pourrais peut-être aller nous le préparer, Jade ? ajoute-t-elle en me regardant.

Je vois bien que ça énerve maman.

– Prends le café moulu, Jade. Tu sais te servir de la

machine, hein ? Sors les belles tasses. Et ouvre un nouveau paquet de biscuits, pas ceux qui sont dans la boîte en fer.

Je hoche machinalement la tête, sans prendre la peine de tout enregistrer. Mme Cambridge se fiche bien du café, elle cherche seulement un moyen de m'éloigner. Pour qu'ils puissent avoir une petite conversation à mon sujet.

Une fois dans la cuisine, j'essaie de ne pas trop entrechoquer les tasses. Des murmures me parviennent mais ils ont fermé la porte du salon pour que je ne puisse pas écouter. De toute façon, ça m'est égal.

Je plonge un doigt dans le pot de sucre et le porte à ma bouche. Ça me rappelle la mère de Vicky, le jour de l'enterrement. Je ne l'ai pas revue depuis. Il paraît qu'ils sont partis en vacances à l'étranger. En Italie.

– Hé, donne-m'en un peu ! dit Vicky. Non mais tu te rends compte ? Moi qui rêvais d'aller en Italie ! Ils disaient que ça ne les tentait pas. Qu'il faisait trop chaud. Qu'ils n'aimaient pas les pâtes. Et où se précipitent-ils dès que j'ai rendu l'âme ? Je te le donne en mille. En Italie. Ce n'est pas juste !

– Ça m'étonnerait qu'ils s'y amusent beaucoup.

– J'espère bien que non !

– Tu voudrais qu'ils se morfondent ?

– Bien sûr !

– Pour le reste de leurs jours ?

– Absolument !

Je marque une pause, le temps de déglutir.

– Et moi ?

– Absolument !

– Mais ce n'est pas juste.

– Parce que tu trouves qu'elle est juste, ma mort ?

– Non, je sais, mais…

– Tu ne seras jamais heureuse sans moi.

C'est un ordre. Je dois obéir sans discussion.

– Hé ?

Vicky me scrute du regard.

– Qu'est-ce que c'est que ce petit frémissement sur tes lèvres ? Je n'y suis pour rien. Tu sais bien que tu ne peux pas continuer sans moi. Depuis que nous sommes toutes petites, ça a toujours été Vicky-et-Jade, pas vrai ? Alors on ne va rien changer. Ce sera Vicky le fantôme et Jade la cinglée. Mme Cambridge est venue voir tes parents parce que tous les profs sont persuadés que tu marches à côté de tes pompes.

Elle a raison. Dès que j'entre dans le salon, la conversation s'interrompt. Mme Cambridge paraît soucieuse. Maman est furieuse, même si elle affiche un sourire de façade aussi soigné que son rouge à lèvres. Papa a gardé le même air perplexe que tout à l'heure.

– Jade, Mme Cambridge vient de nous expliquer que tu as des problèmes au collège, dit-il en se servant le café en premier.

– Je n'ai jamais dit une chose pareille, monsieur Marshall !

– Voyons, Ted ! Sers d'abord Mme Cambridge !

– Oh, pardon !

Papa lui offre sa tasse, alors qu'il en a déjà bu une gorgée.

– Non, non, c'est gentil, je vais en prendre une autre, dit-elle. Je n'ai jamais dit que Jade avait des problèmes en classe, simplement que son comportement a changé. Ce qui est normal, bien sûr, le contraire serait étonnant, poursuit-elle en m'adressant un hochement de tête qui se veut rassurant.

– Il paraît que tu ne parles plus à personne, dit maman. Que tu traînes toujours seule. Je savais que ça n'était pas bon pour toi de fréquenter tout le temps Vicky. Est-ce que je ne t'ai pas répété cent fois que tu avais besoin de te faire de nouveaux amis ?

– Je n'ai pas besoin de nouveaux amis.

– Oui, eh bien tu n'en auras pas, si tu continues comme ça.

– Beaucoup d'élèves ne demanderaient pas mieux que de devenir ses amis, intervient Mme Cambridge.

– Rien que des idiots finis comme Sam Gras-Double ou Madeleine la Guimauve, crie Vicky depuis la cuisine.

Je sursaute au son de sa voix. Tous les regards se braquent sur moi.

– Qu'est-ce qu'il y a ? demande maman. Pourquoi es-tu si nerveuse ? Tu te comportes comme une...

Elle soupire, incapable de terminer sa phrase. Elle se tourne vers Mme Cambridge.

– Elle est comme ça en classe ?

Le professeur ne sait pas quoi répondre.

– Eh bien, Jade, tu sembles parfois très... distraite.

C'est le moins qu'on puisse dire. Mais comment l'éviter, avec Vicky qui n'arrête pas de faire des singeries ? La voilà qui recommence. Elle entre dans le salon à grandes enjambées, tourne autour de maman, se blottit contre papa, se juche sur les genoux de Mme Cambridge, lui tire les cheveux, entreprend de les tresser. Je sens des gloussements

me chatouiller la gorge. Je laisse échapper un reni-
flement.

– Je suis désolée, Jade, dit Mme Cambridge. Je ne
voulais pas te faire de peine.

Maman me regarde d'un air soupçonneux. Vicky
l'imite. Je renifle une nouvelle fois.

– Arrête tout de suite ! me tance maman.

– Reprends-toi, ma petite, dit papa. Tu te conduis
comme une sotte. Tu ne voudrais pas que ton professeur pense que tu as pété les plombs, hein ?

– Ce n'est pas du tout ce que je pense, monsieur
Marshall. En revanche, je crois – mes collègues et
moi croyons – qu'un soutien psychologique pourrait
aider Jade à traverser cette période difficile.

– Jade n'a pas besoin d'aller se faire presser le
citron par un psychiatre, dit fermement papa.

– Pas un psychiatre. Simplement un spécialiste du
conseil en deuil.

– Je n'en vois pas l'intérêt, renchérit maman. Ça ne
changera rien à l'affaire, pas vrai ? Je ne vois pas en
quoi ça aiderait Jade à se sortir de son chagrin.

– Un soutien psychologique peut s'avérer très efficace. La personne pourrait venir à domicile si ça
vous paraît plus commode.

– Et qui va régler la note ? s'inquiète maman. Je
parie que ça n'est pas donné.

– À vrai dire…

Mme Cambridge esquisse un geste de la main, visiblement embarrassée par la question. Elle se tourne
vers moi.

– Qu'en penses-tu, Jade ? Tu crois que ça te serait
utile ?

– Non ! Dis non, me souffle Vicky. Dis non, idiote. Elle me prend la tête entre ses mains de fantôme et essaie de me la faire bouger de gauche à droite.

– Non, je réponds.

– Tu ne crois pas que ça te ferait du bien d'en parler ? insiste Mme Cambridge en me prenant la main. D'exprimer tout ce qui te trotte dans la tête ? D'expliquer ce que tu ressens ? Parfois, on a l'impression que tu es ailleurs.

J'éclate en sanglots.

– Et voilà ! dit maman. Vous voyez bien. Rien que d'en parler, ça la met dans tous ses états.

Je m'accroche à la main de Mme Cambridge comme à une bouée de sauvetage.

– Va chercher un Kleenex, Jade, dit maman.

J'obéis.

– Nous apprécions le mal que vous vous donnez, madame Cambridge, mais Jade n'a pas besoin de thérapie. Elle a toujours été un peu rêveuse, mais elle s'en tire très bien du moment qu'elle ne s'y complaît pas. De toute façon, elle ne veut pas de ce soutien psychologique, vous l'avez entendu de sa bouche.

– Ça ne rime à rien, de tout ressasser, dit papa.

Mme Cambridge comprend qu'elle ne viendra pas à bout de leurs réticences.

– Bon, Jade, viens me voir à l'école si tu as besoin de parler.

Maman la raccompagne à la porte et se confond en remerciements mais, la porte à peine refermée, elle se lâche :

– Non mais de quoi je me mêle ? Comme si je ne savais pas m'occuper de ma fille !

Pour une fois, maman et papa sont d'accord.

– Si on l'écoutait, notre fille serait bonne pour le cabanon ! s'exclame papa. Mais elle l'a vite bouclée quand tu lui as demandé qui allait régler la facture ! Parce que ça coûte les yeux de la tête, ces psys machins. Elle s'imagine qu'on roule sur l'or ? Tiens, à propos de gagner sa vie, je ferais bien de me préparer pour le boulot.

Il me passe une main maladroite dans les cheveux, comme quand j'étais petite.

– Tu vas bien, pas vrai, Jade ? Bon, je sais, tu es encore toute retournée à cause de Vicky, pareil pour nous. Mais tu tiens le choc, pas vrai, ma puce ?

– Oui, papa. Je tiens le choc.

– Alors, roulez jeunesse !

Il quitte la pièce en traînant les pieds.

Une fois habillé, il sort son portefeuille de la poche arrière de son jean.

– Tiens !

Il me donne un billet de vingt livres.

Puis un autre.

– Offre-toi une petite gâterie pour te remonter le moral !

– Merci, papa.

– Je te croyais fauché, dit maman. Quand je t'ai parlé de payer l'abonnement au journal, tu m'as dit que tu n'avais pas de liquide.

– Arrête de râler. Le bonheur de notre fille est quand même plus important que cette saleté de journal.

Il déguerpit avant que la conversation tourne au vinaigre.

– Les trois quarts du temps, il ne remarque même pas ta présence, dit maman avec amertume.

Je lui tends un des billets.

– Non, non, garde cet argent, ma chérie. Ne va pas croire que j'en ai après toi. C'est ton père...

Elle marque une pause, le visage tendu. Puis elle secoue la tête en souriant.

– Il n'a pas tort, tu as besoin de t'offrir un petit plaisir. Si on sortait samedi, rien que toi et moi ?

Je ne sais pas quoi répondre. C'est tellement bizarre. J'ai toujours rêvé d'avoir une maman qui m'emmènerait en virée et d'un papa qui me donnerait de l'argent de poche – comme les parents de Vicky. Les miens s'en contrefichaient, jusqu'à aujourd'hui.

– Si on allait à Londres ? propose maman. On pourrait faire les magasins, prendre un café et une pâtisserie. Une vraie journée entre filles, d'accord ? Ça te plairait, non ? Ça fait une éternité que tu n'es pas allée à Londres.

Je ne peux pas lui raconter que j'y ai fait une escapade en douce très récemment. Je ne suis pas sûre d'avoir envie de recommencer avec maman mais, après tout, ce n'est pas une mauvaise idée. Vicky s'envole, boudeuse, pendant que maman et moi nous installons dans le train, le nez bientôt plongé dans un magazine de mode sur papier glacé. A Londres, nous nous amusons du prix des vêtements, nous regardons les nouvelles couleurs de vernis à ongles et nous respirons des échantillons de parfum. Maman fait la moue devant la maigreur des mannequins.

– Voilà à quoi tu vas ressembler, Jade. Regarde-toi,

ajoute-t-elle en me prenant le poignet. On pourrait le casser comme une allumette. Il faut que tu te remplumes.

Nous allons prendre un café et deux pâtisseries chacune, puis elle achète une boîte de chocolats belges que nous engloutissons en un rien de temps. Le dernier chocolat avalé, on dirait que nous portons un nouveau rouge à lèvres marron.

Je dépense les quarante livres de papa pour acheter un caraco à fleurs avec des manches bouffantes et un débardeur noir, très court et moulant. Je m'attends à ce que maman fasse une scène à propos du débardeur mais elle se contente de sourire.

– Tu grandis, après tout. Toi qui as toujours été si timide, tu pourrais nous surprendre ! Et tu as bien le droit de découvrir ton ventre, vu qu'il est plat comme une crêpe. Mais je ne sais pas comment va réagir ton père. Tu sais comment il est.

Elle hésite.

– Jade, ton père et moi… Tu sais que nous ne nous entendons pas très bien.

Je hoche la tête, sans la regarder. Je n'ai pas envie d'écouter. Je veux continuer à m'amuser.

– Je ne devrais peut-être pas t'en parler…

Alors je t'en prie, ne dis rien !

– J'ai rencontré ce type au bureau, Steve…

Elle n'a pas besoin d'en dire davantage. Il suffit de l'entendre prononcer son nom comme si c'était un chocolat qu'elle faisait tourner dans sa bouche.

– Il est tellement…, soupire-t-elle. Enfin, bon, je ne sais pas si c'est sérieux. Je suis un peu plus âgée que lui. Et c'est plutôt un coureur de jupons. Ce que je veux dire c'est que, si ça devenait sérieux... Enfin, de mon côté, ça l'est, Jade. Je n'ai encore jamais ressenti ça pour un homme. Donc s'il y avait une chance pour que lui et moi...

– Tu vas quitter papa ?

– Tu ne m'en voudrais pas, hein ? Ton père et moi, ça n'a vraiment jamais marché. J'étais furieuse contre mon petit ami qui m'avait plaquée, alors je suis sortie très vite avec ton père. C'est lui qui a insisté pour qu'on se marie quand on a su que j'étais enceinte. Au début, ça n'allait pas trop mal – même s'il n'a jamais été un battant. Après, il a perdu son premier travail, et regarde où il en est.

– Oui, mais...

J'ai tellement peur. Comme si le sol se dérobait sous mes pieds.

– Tu n'aimes pas beaucoup ton père, je me trompe ? De son côté, il ne s'est jamais vraiment occupé de toi, hein ?

Je hausse les épaules, ne voulant pas lui donner raison.

– Tu vas adorer Steve. Il est tellement drôle. Il me tarde de te le présenter. Je lui ai beaucoup parlé de toi.

Elle marque une pause.

– Il te croit un peu plus jeune que tu n'es, mais aucune inquiétude à avoir. Encore une fois, il ne se passera peut-être rien, seulement, si je décide de quitter ton père pour de bon, alors sache que tu peux venir habiter avec Steve et moi. Je ne t'abandonnerai jamais, Jade.

– Habiter où ?

– Rien n'est fait, bien sûr. Steve a un logement, mais ce n'est qu'un studio. De toute façon, on trouvera une solution. Ce n'est pas la peine de s'en préoccuper pour le moment parce qu'il n'y a rien de concret, tu vois ?

Je vois très bien.

Je vois maman et Steve se livrer à un corps à corps répugnant dans un petit studio.

Je ne m'y vois pas.

Je vois papa affalé sur son divan, plus endormi et négligé que jamais.

Je ne m'y vois pas non plus.

Je n'ai nulle part où aller. Je n'ai personne. Je ferme les yeux. Je me rappelle tous nos projets d'avenir, Vicky et moi, comment nous devions prendre un appartement après le collège et tout partager…

– On peut toujours le faire.

Je n'ouvre pas les yeux. Ce n'est pas la peine. Vicky est là, à côté de moi. Je sens son souffle sur mon visage, je sens ses cheveux qui me chatouillent les épaules, et l'emprise légère de ses mains autour de mon cou.

Elle ne me laisse plus une minute de répit à présent. Elle est dans mon lit quand j'ouvre les yeux. Lorsque je m'étire, mon bras la traverse comme du beurre. Elle me fait des pieds de nez pendant que je me brosse les dents. Elle s'assied sur le bord de la baignoire et me nargue avec sa garde-robe infinie alors que je suis obligée de porter les mêmes vêtements sinistres tous les jours. Elle grignote ma nourriture mais sans jamais laisser de marques de dents. Elle m'accompagne jusqu'au collège, jacasse pendant tout le trajet et m'oblige à lui faire la conversation. J'aimerais éviter son sanctuaire et tous ses bouquets de fleurs mais elle refuse que je fasse le tour pour entrer par la grille de derrière. Elle adore admirer ses fleurs.

Les premières s'étant transformées en bouillie noirâtre, on a fini par les balayer mais le trottoir est de nouveau encombré de bouquets. Les nounours, les photos et les lettres d'adieu sont toujours là, un peu fripés et déteints après plusieurs jours de pluie. Il y a aussi de nouvelles offrandes, comme l'énorme couronne mortuaire en plastique déposée par les dames de service à la cantine, une sainte en plâtre et toute cette ribambelle de pots en argile fabriqués en classe de travail manuel, chacun contenant une fleur qui pique tristement du nez.

– Des pensées ? s'étonne Vicky. Toute une cargaison ?

– En souvenir de toi.

– Et ces atroces tulipes en plastique, tu peux m'expliquer ?

– Je ne sais pas. Ça veut dire que les gens te regrettent. Ne sois pas horrible.

– Les dames de la cantine étaient toujours horribles avec moi. Surtout la cuisinière. Tu te souviens qu'elle m'appelait la chichiteuse parce que j'avais refusé ce bout de pizza tout racorni et que je lui avais demandé une autre part ?

– N'empêche qu'elle était presque en larmes l'autre jour, quand elle m'a servie. Toute bouleversée en pensant à toi.

– Dommage qu'elle ne puisse pas m'envoyer quelques parts de pizza avec un supplément de fromage. C'est l'inconvénient quand on flotte dans l'espace. Rien à bouffer !

Son regard s'attarde sur la statue.

– C'est qui la femme avec le voile ? La Vierge Marie ?

– Elle porte des roses. C'est peut-être sainte Dorothée ou sainte Barbara. Ou sainte Thérèse. En tout cas une vierge morte très jeune.

– Parlons-en. C'est bien ma veine ! Moi qui voulais tellement savoir comment c'était, le sexe. J'aurais dû

124

pousser les choses un peu plus loin quand on s'est embrassés, Ryan et moi, à Noël. Bah, il faudra que tu fasses l'expérience à ma place, Jade.

– Non merci. Ça ne me tente pas du tout.

Je marque une pause.

– De toute façon, personne ne voudra de moi.

– Tu peux toujours te rabattre sur Sam Gras-Double. Mais attention qu'il ne se rabatte pas sur toi ! Il risque de t'écrabouiller ! Au moins ma mort avait quelque chose de dramatique. La tienne serait grotesque.

– Pourquoi es-tu toujours aussi dure avec Sam ?

– Gras-Double.

– Il a encore le béguin pour toi, ça crève les yeux.

– Je suis censée me sentir flattée ?

– Vicky, c'est le seul qui semble nous comprendre, toi et moi.

– Mais on se fiche bien qu'il nous comprenne ! La prochaine fois qu'il ramène sa graisse, dis-lui d'aller se faire voir ailleurs.

Je n'ai pas à me donner cette peine. Sam se tient à distance, même le vendredi à la course à pied.

Je m'amuse de moins en moins. M. Lorrimer reste gentil avec moi mais je crois qu'il ne m'aime plus. Il a été choqué de découvrir que je pouvais être aussi méchante. Moi aussi, ça me choque. Je ne m'aime pas non plus.

Ce vendredi, M. Lorrimer nous entasse tous dans le minibus de l'école et nous emmène à Fairwood Park. Pendant quarante minutes, nous devons courir sur la piste cyclable, gravir la colline puis faire demi-tour pour revenir au parking. Les garçons les meilleurs caracolent en tête, suivis par les filles les plus sportives, puis viennent les coureurs moyens, les lanternes rouges... et loin, loin derrière, il y a moi, rouge comme une tomate, avec Sam qui ferme la marche, à dix pas dans mon sillage.

J'imagine qu'il s'arrête chaque fois que je marque une pause, parce qu'il ne me dépasse jamais. Je prends soin de ne pas me retourner, mais j'entends sa respiration rauque et ses baskets qui martèlent le sol. Tout à coup, il y a un bruit plus mat et un gémissement. Je suis bien obligée de regarder.

Sam a trébuché sur une racine. Il est affalé par terre, les bras et les jambes repliés, comme un énorme crapaud gris.

Vicky éclate de rire. Je ricane aussi. Sam relève la tête, avec ses lunettes qui pendent à une oreille. Sans les montures, ses yeux paraissent roses et nus. Je me sens encore plus coupable. J'écarte Vicky de mon chemin et je me précipite à son secours.

– Sam. Je suis désolée. Je ne voulais pas me moquer de toi.

– Vas-y, ne te gêne pas, marmonne-t-il, le nez dans l'herbe.

– Tu t'es fait mal ?

– Non, j'ai juste eu envie de piquer un somme.

– Oh, Sam.

Ses jambes ressemblent toujours aux pattes d'un crapaud. Elles sont peut-être cassées ? Je me penche pour tâter à travers son pantalon de survêtement. Sam se raidit. Puis son corps est agité de soubresauts. Est-ce qu'il pleure ? Non, c'est lui qui rit à présent.

– Qu'est-ce qu'il y a de si drôle ?

– Tu me chatouilles ! Qu'est-ce que tu fabriques ?
Tu me pelotes ou quoi ?

Je retire mes mains comme si Sam était incandescent.

– Jamais de la vie ! Je vérifiais seulement que tu n'avais rien de cassé.

– Il n'y a que le cœur de brisé, marmonne-t-il, en se mettant à quatre pattes.

Il pousse un énorme grognement.

– Tu es sûr que ça va ?

– On fera aller, dit-il en se relevant, encore chancelant. Comment se ridiculiser à vie en dix leçons...

Il se tapote la bedaine.

– Je suis encore à des années-lumière de M. Muscle et Tablette-de-Chocolat.

– N'empêche que tout cet exercice te fait du bien. Nous fait du bien, à tous les deux.

– Comme si tu avais besoin de perdre du poids.

– J'ai besoin d'être en forme.

– Est-ce que... ça t'aide ?

– Pas des masses.

– Bah...

De la main, Sam me montre le chemin.

– Je t'en prie, après toi. Et ne t'en fais pas. Je ne vais pas te coller aux basques. Si je me casse encore la figure, tu n'auras qu'à me laisser étendu par terre, d'accord ? Et quand tu redescendras, si je suis encore K.-O., pique-moi avec la pointe d'un bâton.

– Je me servirai plutôt de ton ventre comme d'une table de pique-nique. Allez, Sam, courons ensemble. Pardonne-moi d'avoir été aussi vache avec toi.

– C'est rien. Tu as des circonstances atténuantes.

– J'ai l'impression que tout le monde est trop indulgent avec moi. Ce qui n'arrange pas les choses, au contraire. Et puis je ne suis pas la seule à regretter Vicky. Toi aussi, Sam, tu étais fou d'elle.

Il écarquille les yeux.

– Ce n'est pas d'elle que je suis fou !

Il y a un long silence, le temps que j'enregistre. Puis nous nous mettons à courir tous les deux, le visage en feu. Sam ne peut pas être amoureux de moi...

– Tu ne t'en étais pas aperçue ? halète-t-il.

– C'est parce Vicky n'est plus là ? Tu as fait un transfert affectif sur moi, c'est ça ?

– Non ! Je n'ai jamais été attiré par Vicky. Je n'aimais pas la façon qu'elle avait de te mener par le bout du nez.

– Ce n'est pas vrai. Enfin, si, mais ça m'était égal.

Je sais qu'elle est tapie dans les parages, à nous écouter. Elle va être folle de rage contre moi. Je décide de ne pas trop m'en faire tant que je cours avec Sam mais, une fois à la maison, l'inquiétude me gagne. Je guette son apparition, le ventre noué. J'ai peur qu'elle vienne, peur qu'elle ne vienne pas. Elle attend que je m'endorme et soudain elle pousse un grand cri, mais ce n'est pas un cauchemar, c'est la réalité, Vicky est morte et c'est ma faute...

– Tu as une mine de déterrée, Jade ! dit maman le lendemain matin, ce qui a le don de beaucoup amuser Vicky.

Je dois vraiment avoir mauvaise mine parce que Mme Cambridge m'aborde dans le couloir pour me demander si je suis malade.

– Non, je vais bien, madame Cambridge, dis-je essayant de couper court à la conversation.

– Un instant, Jade. J'aimerais que tu viennes à la bibliothèque après déjeuner, à midi trente précises.

– Mais les élèves n'ont pas le droit d'aller à la bibliothèque à cette heure-là, madame Cambridge.

– Sauf s'ils ont une permission spéciale. Et je te la donne. A midi trente, d'accord?

Je me présente à la bibliothèque à une heure moins vingt. Je n'ai pas été retenue à la cantine. Simplement, ces derniers temps, je suis incapable d'arriver à l'heure nulle part. Ma notion du temps a changé. Souvent, je ne saurais pas dire si nous sommes le matin ou l'après-midi. Cinq minutes me semblent durer une éternité et cinq heures s'envolent sans que je m'en aperçoive.

Mme Cambridge m'attend dans la bibliothèque en compagnie d'une femme plus âgée. Peut-être un nouveau professeur. Elle a des cheveux gris retenus par une pince en écaille. Elle porte un de ces larges pantalons à fleurs dont raffolent les grands-mères un peu artistes et une chemise grise fermée par un drôle de col blanc. Ah. J'ai compris.

Je m'apprête à prendre la tangente mais Mme Cambridge m'aperçoit à travers la porte vitrée et bondit à ma rencontre.

Je suis bien obligée d'entrer dans la bibliothèque et de me joindre à elles.

– Te voilà, Jade! Je m'apprêtais à organiser une battue. Voilà, je te présente Mme Wainwright.

– Vous êtes prêtre?

Elle éclate de rire.

– Je voudrais bien. Non, je suis encore en apprentissage, Jade. Pour l'instant, je ne suis qu'aumônier.

– Tu as peut-être croisé Mme Wainwright au centre commercial de Lakelands.

J'ouvre de grands yeux. Cette femme n'a pas l'air du genre à acheter ses fringues chez *Kookaï* ou *Morgan*.

– Oui, j'y suis en quelque sorte rattachée. C'est une cathédrale des temps modernes. Des milliers de personnes s'y retrouvent chaque jour. Et, comme l'église ne rassemble qu'une poignée de vieilles taupes, j'aime bien me promener parmi les passants pour voir si quelqu'un a besoin de bavarder un moment.

– Et aujourd'hui, Mme Wainwright est ici pour bavarder avec toi, Jade. Bon, je ferais mieux de filer. Je suis censée surveiller la cour de récréation. A tout à l'heure, Clara.

Visiblement, elles se connaissent bien. Je n'en crois pas mes yeux. D'ici à ce que Mme Wainwright se mette à prier pour moi ! Je me sens affreusement intimidée et mal à l'aise.

– Ne t'en fais pas, Jade, je suis sans doute aussi gênée que toi. Je crois comprendre que tu ne vas pas à l'église ?

– Non.

– Bon, détends-toi, je ne suis pas ici pour te convertir – encore que, si tu avais envie de venir à la messe, tu serais la bienvenue, évidemment. Non, Anne – Mme Cambridge – m'a demandé de passer parce que j'ai suivi une formation de consultante en deuil.

– Oh.

– A voir ta tête, on dirait que je viens de t'annoncer

que je suis dentiste. Ne t'inquiète pas, je n'ai pas l'intention de sonder ton cerveau. Nous pouvons juste bavarder. Ou bien nous tortiller en silence sur nos chaises pendant dix minutes et en rester là.

– Écoutez, c'est très gentil à vous mais...

– Tu trouves que ça ne me regarde pas.

– Je ne voulais pas paraître grossière.

– Tu me crois incapable de comprendre, c'est ça ? Moi, la grosse religieuse en pantalon à fleurs, avec son sourire de bienheureuse. Que pourrais-je savoir du deuil et de la souffrance ? Écoute-moi bien, Jade : je ne sais peut-être pas ce que tu ressens, mais je sais ce que j'ai vécu.

Je lève les yeux sur elle.

– J'ai perdu un enfant. En fait, j'ai perdu plusieurs bébés, à la suite de fausses couches. Puis j'ai eu une petite fille, un amour, Jessica. Tu veux voir sa photo ?

Elle sort son portefeuille pour me montrer la photo d'une petite fille aux cheveux bouclés, en salopette à rayures.

– Elle est mignonne.

– Oui, elle était adorable. Tout le monde le disait, pas seulement ses vieux parents gâteux. Puis elle est tombée malade. La leucémie. De nos jours, les médecins parviennent souvent à soigner cette maladie mais, à l'époque, ils n'ont pas pu sauver notre Jessica. Elle est morte à l'âge de cinq ans.

Elle en parle d'une voix neutre, comme si elle donnait le bulletin météo, mais ses yeux brillent et des larmes coulent bientôt sur ses joues.

Je détourne le regard.

– Je pleure chaque fois que je parle d'elle, dit Mme

Wainwright en ôtant ses lunettes et en essuyant les larmes qui ont roulé sur sa tunique grise. Tu as beaucoup pleuré, Jade ?

– Pas beaucoup, non.

– Ça fait du bien, tu sais.

Elle se mouche – dans un mouchoir, pas sur sa chemise – et rechausse ses lunettes.

– Les larmes ont pour fonction d'éliminer les toxines. Tu te sens toute patraque quand tu as du chagrin, n'est-ce pas ? Ça te soulagerait de pleurer un bon coup. Des scientifiques ont analysé nos larmes. Ne me demande pas comment ils s'y sont pris, on n'a pas vraiment envie de se coller des dés à coudre sous les yeux quand on est au milieu d'une crise. Quoi qu'il en soit, les larmes de chagrin n'ont pas la même composition chimique que l'écoulement normal dû à une poussière dans l'œil.

Elle me regarde attentivement.

– Tu trouves que ce que je te raconte n'a aucun intérêt ?

Je secoue la tête.

– Vous avez eu d'autres enfants après Jessica ?

Elle retient un moment son souffle puis laisse échapper un long soupir.

– Non. J'ai essayé. Mais ça n'a pas marché. Alors j'ai décidé de me consacrer aux autres. Dans un certain sens, ça m'a été d'un grand secours.

– Mais ça n'a pas fait revenir Jessica.

– Non. Sa disparition est encore très douloureuse. Il y a des jours où je n'ai pas la force de me lever. Mais, après un bon bain chaud et un bol de müesli, j'arrive en général à affronter la journée. Comme tu peux le constater, je suis d'avis qu'il ne faut jamais pleurer le ventre vide.

Elle se tapote le ventre.

— Mais toi, Jade, tu pourrais avaler un plein tonneau de müesli. Tu ne manges pas en ce moment ?

— Je n'ai jamais faim.

— Même du chocolat ? Des glaces ? Offre-toi quelques petits plaisirs. Parfois, il ne faut pas hésiter à se rabattre sur les friandises quand une assiette de viande et de légumes donne la nausée. Je parie que ta mère te force à manger...

— Oui... Mais c'est bizarre, je ne peux rien avaler, comme si j'avais un problème à la gorge.

— Oh, ces difficultés de déglutition sont très courantes. Tu connais l'expression « avoir les boules » ? Beaucoup de choses se détraquent quand on a du chagrin. On peut manquer de souffle, ou vomir régulièrement, avoir des douleurs au ventre ou dans la poitrine. On en a gros sur le cœur, littéralement. Tu dois te sentir tout le temps fatiguée. Faire le deuil d'un être cher est un travail difficile.

Je me rapproche d'elle, comme portée par une vague de soulagement.

— Les autres ressentent la même chose ?

— La plupart d'entre eux. En ce qui me concerne, j'ai eu tendance à perdre la boussole. J'étais comme étouffée par la colère. J'en voulais à la terre entière. Je reprochais même à cette pauvre Jessica d'être morte.

— Après sa mort...

— Oui ?

— Vous lui avez parlé ?

– Tout le temps. Encore aujourd'hui. Mais ça devient confus dans mon esprit, parce qu'elle devrait avoir à peu près ton âge maintenant et pourtant je continue de l'imaginer comme ma petite fille de cinq ans.

– Quand vous lui parlez... Est-ce que c'est comme si elle était là ?

– Oh, oui. Surtout dans les mois qui ont suivi sa mort. J'avais l'impression que, si je me précipitais dans sa chambre, j'allais la trouver assise en tailleur sur le tapis, en train de jouer avec ses Barbie. Il a fallu des années avant que j'accepte de déplacer un objet dans la chambre de Jessica.

– Mais vous ne la voyiez pas ?

– Je croyais la voir sans arrêt. Dans les magasins, dans le bus, même à la télévision. Il suffisait d'une chevelure bouclée, d'une salopette, de petits coudes pointus, et j'en avais le cœur chaviré, persuadée d'avoir enfin retrouvé Jessica. C'est un phénomène très courant. On cherche désespérément l'être aimé. Mais, tôt ou tard, il faut comprendre que ça ne sert à rien. Nos disparus ne reviendront pas.

Elle me regarde droit dans les yeux.

– Vicky ne reviendra pas, Jade. C'est le premier travail de deuil. Nous devons accepter le fait qu'elle est morte. Et c'est d'autant plus difficile qu'elle est morte de manière brutale.

Ce n'est pas difficile. C'est carrément impossible. Vicky entre dans la pièce en sautillant et vient s'asseoir entre nous, aussi réelle et choquante que les roses sur le pantalon de Mme Wainwright.

Maman est aux petits soins avec moi. Elle me fait la cuisine, me paie un coiffeur chic et m'offre une trousse de manucure. Maintenant, je porte de faux ongles et un anneau au pouce. J'aime ma nouvelle coiffure et mes nouveaux ongles mais j'ai l'impression qu'ils ne font pas partie de moi. Inconsciemment, j'écarte ma frange de mes yeux toutes les cinq secondes et je tripote la pointe de mes ongles jusqu'à ce qu'ils se décollent.

– Laisse-les tranquilles ! me crie maman.

Puis, prise de remords, elle me prépare une tasse de chocolat chaud et me coupe une tranche de viennoise. C'est elle qui l'a faite, avec la même recette que celle qu'elle avait utilisée une fois pour mon gâteau d'anniversaire. Le glaçage me colle aux dents lorsque je pense à Vicky en train de souffler les bougies pour me voler mon vœu.

– Tu pleures ? s'étonne Vicky. Les anniversaires, c'est fini pour moi, et pourtant je ne suis pas là à pleurnicher.

– Reprends-en, Jade, vas-y. Au diable les régimes !

– Au diable ? répète Vicky. En voilà une idée...

Elle met les doigts en cornes sur ses tempes.

– Je devrais peut-être essayer la descente aux enfers ?

Je m'attire toutes sortes d'ennuis à cause d'elle. Je m'applique toujours aussi peu au collège, je ne fais pratiquement jamais mes devoirs. Certains professeurs laissent faire. D'autres me gratifient d'un petit sermon, sur ce ton embarrassé qu'ils adoptent désormais avec moi.

– Je sais que les circonstances sont difficiles, Jade. Tu souffres beaucoup. Tâche de faire de ton mieux.

Je fais le pire. Les professeurs râlent un peu mais ils ne me grondent pas vraiment. La seule qui se fâche pour de bon, c'est Mme Cambridge.

– Tu n'as pas remis ton devoir cette semaine, Jade ?

– C'est-à-dire, euh... J'ai essayé, madame Cambridge, mais je n'arrive pas à me concentrer.

Je prends ma voix de petite fille en deuil qui fait merveille avec les autres professeurs. Mais pas avec elle.

– Pas d'histoires, Jade ! Écoute, ça m'est égal si tu rends un travail bâclé ou truffé de fautes. Je le corrigerai avec un œil indulgent. Mais tu ne t'es même pas donné la peine d'essayer !

– Ce n'est pas ma faute, madame Cambridge, je pleurniche. Vous savez bien...

– Tout ce que je sais, c'est que tu en profites. D'accord, tu es malheureuse, Vicky te manque beaucoup. Tu ferais peut-être bien d'en parler à Mme Wainwright. Mais il faut que tu travailles un peu, sinon tu vas accumuler le retard et tu ne pourras plus le rattraper.

– A quoi bon ?

– Pour réussir tes examens et trouver un travail épanouissant.

– C'est ça, pendant que d'autres s'ennuieront comme des rats morts ! s'écrie Vicky. Allez vous faire voir, les profs. Laissez-nous tranquilles, Jade et moi. Vous ne comprenez rien à rien !

Je dois serrer les mâchoires pour ne pas prononcer à voix haute les insultes proférées par Vicky. Je ne parviens pas toujours à les contenir. Je tombe à bras raccourcis sur ces pauvres Madeleine et Jenny lorsque je les entends parler à Vicky-Deux – parce qu'elles se sont mises à l'appeler Vicky tout court.

– C'est Vicky-Deux et pas autrement ! Jamais elle ne prendra la place de ma Vicky. Je vous interdis de lui donner son nom.

Elles me regardent comme si j'avais perdu la tête. Elles n'ont sans doute pas tort. Je suis en train de dérailler, je vais bientôt devenir aussi méchante que Vicky.

Je ne supporte plus les cours. Je ne tiens littéralement plus en place. Je frétille tellement sur ma chaise que j'en ai des bleus aux fesses. Je m'étire, je bâille, je me gratte, j'ai envie de me dégourdir les jambes. C'en est au point que je vois venir avec impatience la course à pied du vendredi.

J'ai fait des progrès. Je n'ai rien d'une flèche, je suis toujours la plus lente du groupe à l'exception de Sam, mais je tiens mieux la distance. Par moments, ma tête est droite, mes épaules, mon dos aussi, et je prends le rythme. J'ai encore du mal, mais ce n'est plus aussi pénible qu'avant.

– Excellent, Jade, m'encourage M. Lorrimer en trottinant à côté de moi. Je vois que tu as mis un tigre dans ton moteur. Ta foulée a fière allure. Légère et dynamique.

Il fait comme s'il avait oublié ma méchanceté à l'égard de Sam.

– Et moi, monsieur Lorrimer ? appelle Gras-Double derrière nous. Je ne suis pas aussi léger et dynamique que Jade ?

– Tu te débrouilles comme un chef, toi aussi. Tu es en train de sculpter ton corps, mon garçon.

Sam est pris d'un rire rauque qui l'oblige à s'arrêter pour souffler.

– Oui, c'est ça, comme Sylvester Stallone, dit-il en martelant son gros ventre.

Encore qu'il ne soit pas aussi gros qu'avant. Ni aussi mou. Sam a perdu du poids.

– Regardez Jade comme elle me reluque, dit-il. Elle meurt d'envie de tâter ce beau corps d'athlète.

– Compte là-dessus ! je réplique.

Mais avec le sourire aux lèvres.

– Vous êtes réconciliés, tous les deux ? demande M. Lorrimer.

– Vous plaisantez ? répond Sam. C'est pour ça qu'elle a mis la gomme. Pour me fuir. Pas vrai, Jade ?

– Tu l'as dit, bouffi !

Mais lorsque notre professeur accélère, je ralentis pour continuer à courir avec Sam. Vicky ne nous lâche pas d'une semelle, bien sûr. Elle multiplie les vacheries sur lui et voudrait me forcer à les lui jeter à la figure. C'est une telle bagarre entre nous que je peux à peine me concentrer sur ce que raconte Sam. De temps en temps, il me jette un regard en coulisse, comme s'il avait compris ce qui se passait.

– Pardon ? Tu disais ?

– C'est rien, Jade.

– Excuse-moi, mais... Je n'arrive pas à... Je pense tout le temps à...

– C'est pas grave.

– Tu es gentil, Sam.

Vicky fait entendre d'horribles borborygmes et me rend la vie impossible pendant plusieurs jours. Elle est tout le temps sur mon dos.

Quand je suis avec Mme Wainwright, elle fait des cabrioles dans la pièce pour m'empêcher de lui parler. Je sursaute, je grimace et me tortille sur ma chaise tandis que Vicky m'asticote, me pince ou me tire la langue.

– Pardon, madame Wainwright, mais je suis incapable de rester sans bouger.

– A mon avis, si tu es aussi nerveuse, c'est parce que tu cherches encore Vicky. Tu n'arrives toujours pas à accepter sa mort.

Vicky est peut-être morte, mais elle est bien présente dans la classe.

– Je n'arrête pas de penser à elle.

– Tant mieux, approuve Vicky.

– Bien sûr. C'est normal, ça fait partie du processus de deuil.

– Bon sang ce qu'elle est rasoir ! soupire Vicky. Elle joue les Mme Je-Sais-Tout, alors qu'elle ne pige rien à rien. Vas-y, dis-lui. Dis-lui !

– Vous ne savez rien de Vicky et de moi. Nous ne faisons pas partie d'un processus ! Avec vous, tout a l'air si ennuyeux.

Je porte la main à ma bouche, surprise par mon insolence.

– Pardon. Je ne voulais pas…

– Ce n'est rien, Jade.

– Je ne veux pas dire de méchancetés. C'est à cause de Vicky. Comme si j'étais obligée de l'imiter.

– Sale rapporteuse ! lance celle-ci en me tordant le nez.

– Tu l'imites pour te sentir peut-être plus proche d'elle.

– Non, tu m'imites parce que je suis meilleure que toi, plus jolie et plus drôle ! chantonne Vicky.

– Plus méchante, surtout, je marmonne entre mes dents.

– Et tu n'as encore rien vu ! Jusqu'à maintenant, j'ai été très gentille avec toi. Je n'ai pas reparlé de ce qui s'était passé. Tu veux qu'on s'y mette, Jade ? Tu te souviens quand on sortait toutes les deux du collège…

– Non !

Je me bouche les oreilles.

– Qu'est-ce qu'il y a, Jade ? s'inquiète Mme Wainwright en me prenant le bras.

– Si j'ai tant de mal à accepter la mort de Vicky, c'est parce que…

– Parce que ?

– Non. Je ne peux pas.

– Ce n'est rien. Tu n'es pas obligée d'en parler aujourd'hui. Peut-être une autre fois. Mais surtout ne t'inquiète pas si tu te sens coupable, comme si tout était ta faute. Tout le monde ressent la même chose, même quand ce n'est pas vrai.

Mais c'est la vérité. Et Vicky pointe un doigt accusateur sur moi.

– Coupable ! coupable ! coupable !

– Jade ?

Mme Wainwright me relève avec douceur. La séance est terminée.

– Tu as des photos de Vicky ? J'aimerais que tu en apportes une la prochaine fois.

Je passe des heures plongée dans mes albums photos, à choisir. J'ai même des clichés de Vicky datant d'avant notre rencontre, un petit bout de chou tout nu et une autre en maillot de bain, avec des couettes minuscules. Je les ai chipés dans la boîte de photos de sa mère. Vicky est si mignonne là-dessus. J'en ai aussi plein de l'école primaire, de nos sorties à Londres ou à Legoland, et de notre merveilleux voyage à Disneyland, Paris. Vicky est jolie à croquer avec ses oreilles de Mickey. J'ai du mal à feuilleter les photos plus récentes. C'est tellement déprimant de passer en revue toutes ces Vicky souriantes.

– Arrête, idiote, tu vas arroser les photos avec tes larmes, dit-elle. Combien de fois je dois te le répéter ? C'est moi qui devrais pleurer. Toi, tu vas pouvoir en remplir des coffres entiers, de photos. Alors qu'il n'y en aura plus jamais une seule de moi. Au fait, pourquoi personne ne m'a prise dans mon cercueil ? Je parie que j'étais belle à mourir. Ha !

Elle s'allonge sur le sol, simulant sa propre mort, les mains croisées sur la poitrine, les paupières closes, le visage impassible.

– Arrête, Vicky.

Elle ne bouge pas d'un cil.

– Arrête ! Je déteste te voir comme ça. S'il te plaît, lève-toi.

J'essaie de lui secouer l'épaule mais mes doigts passent au travers.

– Vicky, tu me fais peur.

Elle se rassied soudain. Elle ouvre les yeux... puis la bouche, immense, découvrant de grandes canines pointues. Elle se jette sur moi.

– Je vais te donner des raisons d'avoir peur ! sifflet-elle. J'ai soif, je veux du sang !

D'un claquement de doigts, elle fait apparaître un verre rempli à ras bord d'un liquide rouge sombre.

– Voilà ce qu'il me faut ! A la tienne !

Elle lève son verre et aspire goulûment, ses crocs de vampire heurtant le rebord.

– Berk !

– Mmm, délicieux ! dit Vicky en essuyant du revers de la main ses lèvres tachées de sang.

– Dommage qu'il soit froid. Je l'aime chaud. Et frais.

Elle rejette la tête en arrière pour mieux me mordre le cou.

Je pousse un cri. Tout en sachant que ses dents ne sont pas réelles et que ma peau restera intacte.

– Jade ? Tout va bien ?

Aïe ! j'ai réveillé papa.

– Oui, ça va.

– Tu as crié.

– Non... J'ai failli faire tomber quelque chose, c'est tout.

– Tomber quoi ?

Il ouvre la porte de ma chambre et voit les photos étalées par terre.

– Oh, Jade, dit-il en secouant la tête.

– Tu pourrais frapper avant d'entrer.

– Pardon. Je m'inquiétais pour toi.

– Je vais bien.

– Je n'en suis pas si sûr.

Il s'accroupit à côté de moi. Il contemple toutes ces Vicky sur papier glacé, en ramasse une, puis une autre.

– Une si jolie fille, dit-il d'une voix émue.

Je ne supporte pas de le voir baver sur elle. Je les lui arrache des doigts, les froissant presque.

– Hé ! s'écrie-t-il, les mains en l'air comme si je le menaçais d'un revolver. Compris, je n'y toucherai pas.

Il fait l'idiot mais il a encore la larme à l'œil.

– Jade ? Qu'est-ce qu'il y a, mon chou ? Pourquoi est-ce que j'ai toujours l'impression de te prendre à rebrousse-poil ?

Je garde les yeux fixés par terre.

– C'est faux, papa.

Mais c'est la stricte vérité. Rien que sa façon larmoyante de dire « mon chou » suffit à me mettre les nerfs en pelote.

– Et tu n'es pas la seule, continue-t-il. Regarde ta mère. Je ne sais pas. Elle se comporte bizarrement ces derniers temps…

Oh, là, là ! Non. Surtout pas de questions.

– Tu sais ce qu'elle a ?

Je hausse les épaules, les yeux toujours baissés.

– La plupart du temps, elle m'ignore, ou alors elle m'évite comme un galeux. Et, si j'ai le malheur de l'approcher, elle fait un pas en arrière. Pourtant je n'ai rien fait de mal. Je fais mon possible pour être un bon mari, un bon père.

Il secoue la tête et laisse échapper un long soupir.

Je devrais avoir de la peine pour lui. Il est tellement malheureux. Je ne crois pas que ce soit de sa faute. Et puis c'est mon père, après tout.

Je tends la main pour lui tapoter l'épaule mais il s'imagine que je veux lui donner un câlin. Il me serre très fort. Trop.

– Oh, Jade, tu aimes encore ton vieux papa, hein ?

Les mots ne sortent pas de ma bouche.

– Papa ! je marmonne en me dérobant.

– Tu es aussi froide que ta mère, tiens.

Il ramasse une photo. C'est un cliché pris au bord de la mer, Vicky arbore un sourire espiègle, les cheveux au vent, la jupe soulevée par la brise.

– Cette petite Vicky. Elle était toujours pleine de vie.

Il porte la photo à son visage comme s'il allait l'embrasser puis se ravise. Il la laisse échapper et quitte la pièce sans un regard pour moi.

J'essuie la photo avec un mouchoir en papier. J'ai l'impression qu'il y a partout les empreintes de ses doigts moites.

– Désolée, Vicky.

– Je n'ai jamais beaucoup aimé ton père.

– Moi non plus. Qu'est-ce que je vais devenir si maman se tire avec son collègue de bureau ?

Si seulement je pouvais aller chez Vicky tous les jours, comme avant, devenir la deuxième fille de la maison. Sa mère ne me portait pas particulièrement dans son cœur, mais elle me servait une tasse de thé et m'invitait à toutes les fêtes de famille. Et son père était toujours très gentil. Quand nous étions petites, il faisait l'ours ou jouait à cache-cache avec nous dans le jardin. Après, quand nous sommes entrées au collège, il nous entourait d'attentions comme des stars de cinéma. Je veux faire partie de la famille de Vicky. Je veux que Vicky soit là...

– Je suis là, dit-elle au moment du coucher.

Elle s'agenouille à mon chevet et glisse un bras sous mes épaules. Elle me berce, me dit que nous pouvons rester ensemble pour toujours.

La nuit me semble interminable, malgré la présence de Vicky.

Le lendemain, quand je vois Mme Wainwright à l'heure du déjeuner, elle me prend aussi par les épaules.

– Mauvaise journée, Jade ?

Vicky déteste qu'on me touche. Je m'écarte de Mme Wainwright. Mais, ce que j'aimerais, c'est nouer mes bras autour de son cou et me laisser soulever de terre comme une petite fille.

– Tu as pensé à apporter une photo ?

– J'ai eu du mal à choisir.

J'en étale toute une série sur une table de la bibliothèque. Mme Wainwright devine qu'il ne faut pas y toucher. Elle me regarde les disposer comme un paquet de cartes, dans l'ordre chronologique. Elle ne fait aucun commentaire sur le superbe bébé qu'était Vicky, ni sur sa façon de s'habiller, elle ne s'extasie pas devant sa beauté sur la dernière photo.

C'est vraiment la dernière. Je l'ai prise avec un appareil jetable lors d'une excursion à Londres avec la classe. Il appartenait à Vicky et elle m'avait déjà beaucoup mitraillée, ainsi que tous les garçons qui lui tournaient autour.

Avant la fin de la pellicule, je lui ai subtilisé l'appareil et je l'ai prise en photo. Elle est en train de me dire quelque chose, les cheveux rejetés en arrière, la bouche rieuse. On aperçoit plusieurs garçons en arrière-plan. Tiens, voilà Sam ! Sam Gras-Double dans toute sa splendeur. Il a perdu du poids depuis. Là, il a l'air du vrai comique troupier, le bide à l'air. Le rigolo de service.

Mais à qui sourit-il ? Il regarde droit vers l'objectif. C'est à moi !

– Il ne s'agit pas de toi ici, mais de moi ! s'écrie Vicky.

– Jade ? Ça va ? Je sais que c'est douloureux. Mais continue de regarder Vicky. Regarde-la bien.

Je me concentre si fort que l'image en devient floue.

– Elle est fidèle à ton souvenir ?

Je cligne des paupières. Qu'entend-elle par là ? Vicky est morte depuis à peine quelques semaines. Comment aurais-je pu l'oublier ?

– Tu me connais mieux que toi-même ! approuve-t-elle.

Mais, en comparant la photo et le fantôme, je me rends compte les deux ne coïncident pas exactement. La Vicky sur papier glacé est un peu plus ordinaire. Très jolie, séduisante, sans conteste celle qui sort du lot, mais elle n'en demeure pas moins une collégienne comme les autres. Tandis que Vicky, le fantôme, a le teint pâle et les yeux hallucinés. J'essaie de la réduire à l'échelle de la photo mais ça ne colle toujours pas.

– Normal, espèce d'idiote ! proteste-t-elle. J'ai subi un drôle de choc ! La mort n'arrange pas la santé, je te signale. Pas étonnant que mon physique en ait pris un coup. Mais au fait, je peux tenter un relookage magique...

Elle claque des doigts. Un nouveau maquillage remet un peu de couleur sur ses joues. Deuxième claquement de doigts et ses cheveux sont bien coiffés. Troisième claquement, elle porte le même jean et le même blouson que sur la photo.

– Et voilà !

Mais elle n'y est toujours pas.

– Elle... elle a changé un peu, je murmure.

Mme Wainwright hoche la tête comme si elle comprenait.

– Je ne veux pas qu'elle change !

– Je sais. Mais c'est comme ça. On enregistre une image dans sa tête mais il est très difficile de garder le portrait fidèle d'une personne, même de celle qu'on aimait le plus au monde. Et je ne parle pas seulement des traits physiques. C'est la même chose pour la personnalité. Parle-moi de Vicky.

– Eh bien... C'était ma meilleure amie.

– C'est ta meilleure amie, me corrige Vicky. Ne t'emmêle pas dans les temps. Allez, continue. Mets-la au parfum, la grenouille de bénitier.

J'explique à Mme Wainwright que Vicky était la coqueluche du collège, celle dont tout le monde recherchait l'amitié. En arrière-plan, Vicky fait son archiduchesse.

– Pourquoi était-elle si populaire ?

– Parce qu'elle était jolie et qu'elle faisait rire tout le monde. Elle avait le don de charmer les gens.

– Donc elle avait une forte personnalité ?

– Oh, oui. C'est comme si elle vous ensorcelait.

– Et ça t'était égal ?

– Bien sûr.

– Il t'arrivait de lui tenir tête ?

Je n'aime pas le tour que prend cette conversation.

– Les désirs de Vicky sont des ordres.

– Jade, Vicky n'est plus là.

– Si !

– Tu sens sa présence ? En ce moment ?

Je jette un œil du côté de Vicky. Mme Wainwright surprend le mouvement de mes prunelles.

– Est-ce que Vicky continue de te donner des ordres ?

Je ferme les yeux pour ne plus la voir. Je hoche la tête. Peut-être qu'elle ne remarquera pas.

– Tu as l'impression de ne pas pouvoir lui échapper ?

Nouveau hochement de tête.

– Très bien, dit calmement Mme Wainwright, comme si nous venions de discuter de ce que nous avons mangé au petit déjeuner. Maintenant, nous allons faire une promenade dans la cour de récréation. Et nous laisserons Vicky ici, dans la bibliothèque.

– Elle va vouloir venir.

– Ne la laisse pas faire. C'est toi qui décides, Jade. Laisse Vicky ici avec les photos. Juste cinq minutes.

– Elle ne va pas apprécier.

– Peut-être.

– Elle ne m'obéira pas.

– Elle t'obéira si tu le veux assez fort.

– Mais c'est elle qui me dit quoi faire.

– C'est toi qui es encore en vie, Jade. Essaie.

J'installe Vicky sur une chaise et je l'empêche de se relever. Elle se débat mais je la rassieds de force. Je la laisse là, je me concentre, pendant que Mme Wainwright me prend par la main et m'entraîne hors de la bibliothèque. Je dois rester concentrée tout le long du couloir, dans l'escalier et jusqu'à la cour de récréation.

– Voilà ! dit Mme Wainwright. Elle est restée dans la bibliothèque. Tu iras la retrouver dans un instant. Mais pour le moment, elle est là-bas et tu es ici, d'accord ?

– Je... Je crois.

– Bon. Il y a forcément des milliers de choses qui te manquent, aujourd'hui que Vicky est morte. Mais est-ce qu'il y a des choses que tu ne regrettes pas ?

Je cligne des yeux sous la lumière du soleil. Je ne suis pas sûre de bien saisir ce qu'elle me demande. Ces temps-ci, je ne comprends pas toujours ce que les gens me disent. Peut-être que je n'écoute pas avec assez d'attention, tout simplement. Vicky prétend que c'est parce que je suis incapable de réfléchir sans elle. Elle dit que je suis bête.

– Je ne regrette pas ses moqueries. Elle avait cette façon de hausser les sourcils et de pousser un soupir exaspéré chaque fois que je disais quelque chose qui lui déplaisait. Elle cherchait toujours à me rabaisser.

Mme Wainwright hoche la tête.

– Et je ne regrette pas non plus le fait que Vicky gagnait toutes nos disputes. Si on peut parler de disputes. Elle décidait et je devais suivre, que ça me plaise ou non. La seule fois où je…

Mon cœur se met à battre plus vite. La cour de récréation tourbillonne.

– Tout va bien, Jade, j'ai compris, dit Mme Wainwright, en me soutenant. Tu te débrouilles très bien. N'aie pas peur. Tout va bien. Je t'assure.

Mais elle se trompe. Tout va mal, mal, mal.

Je ne peux pas maintenir Vicky éternellement enfermée dans la bibliothèque. Elle se rue contre les murs et les fenêtres puis elle me prend en chasse. Je m'enfuis, les mains sur la tête. Je sors du collège à toutes jambes et me retrouve dans les fleurs jusqu'aux chevilles. Je trébuche sur les nounours, je glisse sur les photos.

– C'est ça, vas-y ! Piétine-moi pendant que tu y es !

J'essaie de remettre un peu d'ordre mais les fleurs sont toutes visqueuses, les peluches sentent le chien mouillé. J'en balance une pleine brassée dans le caniveau, mais le lundi, je suis prise d'un tel remords que je dépense tout l'argent que maman m'a donné pour un CD à racheter des fleurs. Des lilas d'une blancheur éclatante. Je les couche sur le trottoir avec dévotion.

Vicky me regarde, touchée par mon geste. Elle glisse sa main dans la mienne et nous rentrons à la maison ensemble. Nous chuchotons toute la soirée dans ma chambre et nous passons la nuit dans les bras l'une de l'autre.

Mais le lendemain, au collège, elle est d'une tout autre humeur. Elle jacasse comme une pie pendant les cours, multipliant les sarcasmes à l'égard de Madeleine, Jenny et Vicky-Deux.

Elle traite Jenny de garce parce qu'elle a changé de petit ami. Elle trouve Vicky-Deux affreuse avec les cheveux courts, à cause de ses oreilles décollées. Et estime que Madeleine aurait besoin d'un bon soutien-gorge, au lieu des deux taies d'oreiller glissées sous sa blouse...

En cours de théâtre, au moment où nous sommes censés former des équipes de deux, elle m'oblige à me mettre en retrait à l'autre bout de la salle. Du coup, j'ai l'air d'éviter délibérément cette pauvre Madeleine. Vicky se déchaîne quand Sam vient me proposer de faire équipe avec lui, alors qu'en principe les filles et les garçons ne se mettent jamais ensemble. D'ailleurs, les autres garçons ne se privent pas de ricaner, et les filles de glousser.

– Ne fais pas attention à eux, dit Sam, les joues en feu.

Mais je ne peux pas ignorer Vicky.

– Dis à ce gros tas d'aller se faire voir ailleurs !

Les mots sortent de ma bouche malgré moi.

Sam s'éloigne avec un haussement d'épaules. Il mime le dépit et la crise cardiaque, de l'air de celui qui s'en moque comme de sa première chemise. Les autres se marrent. Ce bon gros, quel boute-en-train, jamais le dernier pour la rigolade...

Mais Sam ne rit pas, lui. Il était sincère. Il avait agi par pure gentillesse. Et j'ai été ignoble, une fois de plus.

Je m'en veux. Quand Vicky humilie quelqu'un, elle ne semble jamais s'en soucier. Elle prétend que je suis faible et stupide.

– Et complètement folle, de te mettre dans ces états pour un type comme Gras-Double. Il est à peine humain. Tout juste une cellule plus intelligent qu'un porc.

– Arrête, Vicky. Ne sois pas si méchante.

Je me souviens d'un conte de fées que nous lisions ensemble. Il y avait deux sœurs, l'une si douce que le miel coulait de ses lèvres, l'autre si mauvaise qu'elle crachait des crapauds chaque fois qu'elle ouvrait la bouche.

Vicky s'en souvient, elle aussi. Elle rit à gorge déployée, j'aperçois même la luette qui pend tout au fond, puis soudain de petits crapauds d'un noir luisant glissent sur sa langue rose, se bousculent contre ses lèvres et sur son menton. J'ai envie de hurler. Mais je reste muette. Ma bouche est remplie d'un liquide épais et sucré, mon nez en est encombré, je ne peux plus respirer, je me noie dans le miel... Vicky claque des doigts, le miel et les crapauds disparaissent.

– Attention, Jade, je suis experte en tours de magie maintenant ! Et ce n'est qu'un avant-goût.

J'esquisse un sourire mais, dans un recoin de mon cerveau que j'espère secret, je me rappelle que, moi aussi, je connais un tour de magie. Je suis parvenue à enfermer Vicky dans la bibliothèque contre son gré. Ce n'est pas le bout du monde comparé aux crapauds et au miel (ou aux dents de vampire et au vol plané sans ailes), n'empêche que je l'ai fait. Et, si j'ai réussi une fois, je peux recommencer.

Je tente l'expérience le vendredi suivant, pour la séance de course à pied.

– Je veux que tu restes ici, dis-je à Vicky dans les vestiaires.

Elle essaie de me suivre mais je lui plie les genoux pour la forcer à s'asseoir sur le banc, comme je faisais avec mes poupées quand j'étais petite. Vicky n'a rien d'une poupée, mes mains lui traversent le corps, mais il suffit que je me concentre, con-cen-tre... Je l'oblige à rester immobile, puis je m'engouffre dans le couloir et je prends la porte, sans elle. Il ne me reste plus qu'à rejoindre le terrain de sport en quatrième vitesse...

– Hé, Jade ! crie M. Lorrimer. Pas la peine de courir avant d'être sur la piste !

Je ralentis, me sentant soudain ridicule.

– Ça va, tu peux continuer, je te taquinais, c'est tout, dit-il. Tu m'épates. Il n'y a pas si longtemps, tu n'aurais pas couru comme ça, même si ta vie en avait dépendu.

– Elle n'a pas couru comme ça lorsque ma vie en dépendait ! hurle Vicky depuis sa prison.

Je ne répondrai pas. Je n'écouterai même pas. Elle restera là-bas.

– Tu m'as l'air en pleine forme maintenant. Encore un peu maigre, c'est vrai, mais tu as la morphologie d'une coureuse de fond. On essaiera peut-être le minimarathon l'année prochaine.

– Je ne suis pas assez forte pour participer à une course ! Je suis nulle !

– Tu n'as pas encore le niveau olympique, je te l'accorde, mais tu as beaucoup progressé. Je suis sérieux pour le minimarathon. Tu n'es pas aussi rapide que les autres, en revanche tu as de l'endurance. Tu t'accroches, tu es une coriace.

– J'essaie, dis-je, en jetant un coup d'œil en direction de Sam qui suit à distance. Tellement coriace que je fais mal aux gens.

– Pauvre Sam, dit M. Lorrimer. Dommage que tu aies eu la dent dure avec lui. Il me plaît bien. C'est un garçon super.

– Je sais. J'aimerais qu'on soit amis mais il y a toujours quelque chose – ou quelqu'un ! – qui me pousse à lui dire des horreurs.

Pourtant, aujourd'hui, j'ai enfermé ce quelqu'un dans les vestiaires et elle ne peut plus me dicter ma conduite. Quand nous atteignons la piste, je fais semblant de renouer mes lacets. M. Lorrimer me dépasse et Sam ne tarde pas à me rejoindre.

– Désolée d'avoir été aussi vache, Sam, dis-je, sans oser le regarder en face.

Silence. Il ne veut peut-être plus me parler.

– Sam ? Tu es fâché contre moi ?

– Non... Je... J'essaie... juste... de reprendre... mon souffle.

– Tu aurais de bonnes raisons de ne plus m'adresser la parole. Tu as été super avec moi en cours de théâtre et j'ai été horrible.

– Mais non... J'aurais dû me douter que tu ne voudrais pas me donner la réplique !

– La prochaine fois, Sam.

– C'est ça, dit-il, dubitatif.

Je vais le lui prouver. Et me le prouver à moi-même par la même occasion.

La semaine suivante, juste avant le cours de théâtre, je vais dans le vestiaire des filles et j'enferme Vicky dans les toilettes.

– Tu ne peux pas me laisser là-dedans !

Mais si je peux, je peux, je peux…

Je me répète ces mots jusqu'à la salle où se tient notre cours de théâtre.

Mlle Gilmore frappe dans ses mains.

– Bon, mettez-vous tous par deux.

Il y a un peu de remue-ménage. Madeleine demande si elle peut former un trio avec Jenny et Vicky-Deux. La plupart des garçons restent en petits groupes, pour ne pas paraître trop pressés de choisir leur partenaire. J'aurais voulu que Sam se mette à l'écart pour me faciliter la tâche, mais il est au beau milieu d'un clan, à faire l'andouille comme d'habitude, sans se préoccuper de moi.

Après tout, rien ne m'oblige…

Si. Je peux le faire.

Et je vais le faire.

Je marche droit sur le petit groupe.

– Qu'est-ce que tu veux, l'agitée du bocal ? dit Richie.

Alors c'est comme ça qu'ils m'appellent maintenant. Parce que je sursaute sans arrêt et que je parle dans ma barbe lorsque Vicky est avec moi. Mais elle n'est pas là aujourd'hui. Je reste de marbre.

– Ne l'appelle pas comme ça, grommelle Sam.

– Il peut me donner tous les noms qu'il voudra. Qu'est-ce que ça peut me faire ?

– Cause toujours, dit Liam. Allez, du balai ! Ici, c'est le gang des garçons.

156

– Peut-être qu'elle a des vues sur l'un de nous, ricane Richie.

– Je parie pour Gras-Double, dit Liam, et ils ricanent tous.

– Tout juste, dis-je. Sam ? Tu veux être mon partenaire ?

Ils en restent comme deux ronds de flan. Le silence tombe sur la salle. Mon cœur bat la chamade. Je n'ose pas regarder Sam dans les yeux. Pour lui, c'est l'occasion rêvée de me rendre la monnaie de ma pièce. Il lui suffit de me repousser devant tout le monde. Et je ne pourrai pas lui en vouloir, puisque je lui ai fait subir la même humiliation.

– D'accord. Oui. Bien sûr, Jade.

Nous nous écartons du groupe, juste Sam et moi. Ils nous suivent tous des yeux.

– Ouah ! murmure-t-il.

J'émets un drôle de gloussement, presque un sanglot. C'est la première fois que je ris depuis…

Non. Je ne veux pas penser à elle. Pendant toute la durée de ce cours de théâtre, je veux être moi-même.

Nous commençons par de petits exercices de mise en train. Sam grimace, se donne en spectacle, me fait rire de nouveau. Puis Mlle Gilmore nous dit de nous tenir par la main et j'ai peur que la mienne soit moite. Sam s'exécute sans broncher. Sa paume est un peu humide mais la poignée est ferme. Il n'en faut pas plus pour déclencher des hurlements de loups dans le camp des garçons. Mlle Gilmore pousse un soupir théâtral puis propose un exercice qui suscite de nouveaux cris. Les filles doivent imiter les garçons et vice versa. Aussitôt, Richie, Liam et Ryan se tortillent des hanches. Mlle Gilmore soupire de plus belle.

– Je ne vous ai pas demandé un concours de Miss Monde travestie. Franchement, vous avez déjà vu des filles marcher comme ça ?

– Jenny ! lance Ryan.

Plusieurs garçons s'esclaffent. La pauvre devient toute rouge. Moi aussi. Le trimestre dernier, ils auraient sans doute pointé Vicky du doigt. Je détestais les entendre la siffler (encore qu'elle s'en fichait éperdument) mais aujourd'hui je suis furieuse qu'ils l'aient oubliée si vite. C'est comme si elle n'existait plus.

– Je suis toujours là ! crie-t-elle depuis le fond du couloir.

Si je l'écoute, je suis perdue.

– Faites preuve d'un peu plus d'imagination, dit Mlle Gilmore. Réfléchissez.

– Comme ça ? dit Sam.

Ses yeux s'étrécissent, ses lèvres s'affinent, son visage est soudain si lisse qu'il en paraît aminci. Puis il incline légèrement la tête de côté et se met à marcher, ou plutôt à flâner sans but précis.

C'est incroyable. Je m'attendais à ce qu'il se livre à une pantomime grotesque. Comme les autres. Mais il interprète son rôle avec un tel sérieux. Et il a l'air si triste.

– C'est Jade !

Je ne m'étais pas rendu compte que je ressemblais à ça. Évidemment, Sam reste Sam. Il ne peut pas changer son visage poupin, son gros ventre et ses habits de garçon. Mais il réussit l'exploit d'être aussi moi. Je dois avoir cet air perdu. Absent. Comme si le vrai fantôme, c'était moi.

– Excellent, Sam, le félicite Mlle Gilmore, visiblement surprise. A ton tour, Jade. Réponds-lui. Joue Sam !

Je n'ai pas assisté à ce cours de théâtre depuis que Vicky est morte. Et, quand elle était en vie, je ne participais pas beaucoup. Vicky voulait toujours qu'on fasse les andouilles. Déjà, Mlle Gilmore cherche du regard un autre candidat. A croire que les professeurs se sont donné le mot pour ne jamais me forcer la main.

Mais si j'avais envie d'essayer, après tout ? Je délaisse un moment Jade pour me glisser dans la peau de Sam. Un pas en avant et me voilà obèse, les jambes largement écartées. Je souris jusqu'aux oreilles parce que je préfère prendre les devants, de peur qu'on se moque de moi. Je suis prêt à n'importe quoi pour amuser la galerie, les gros ne peuvent pas courir le risque d'être sérieux, alors va pour la peau de banane, hop ! je fais semblant de partir à la renverse, comme un culbuto, les jambes en l'air, c'est ça, allez-y, riez de bon cœur, même si je suis le dindon de la farce.

Sam me regarde comme si je l'avais mis à nu. Tous les yeux sont braqués sur moi.

– Comment tu as fait, Jade ? demande Vicky-Deux. On dirait que tu es devenue Sam.

– Ça s'appelle jouer la comédie, dit Mlle Gilmore.

Elle ne me dit rien pendant le reste du cours mais, lorsque la sonnerie retentit, elle nous appelle tous les deux.

– Jade et Sam, vous êtes deux comédiens-nés.

Nos yeux se mettent à scintiller.

– Vous ne voulez pas vous inscrire à mon club d'art dramatique ? Je suis sûre que vous vous amuseriez beaucoup. Nous formons un groupe sympa. Ça vous dirait d'essayer ?

Nous échangeons un regard.

J'ai très envie de dire oui. Seulement je ne peux pas. Pas maintenant. Surtout pas maintenant.

D'un autre côté, Mme Wainwright dit que la vie doit continuer. Qu'il faut que j'apprenne à penser par moi-même. Ne plus laisser Vicky diriger mon existence. Même si...

– Alors, Jade, banco ? dit Sam.

– Banco !

– Génial ! s'écrie-t-il.

Une fois dans le couloir, il me donne un petit coup de coude.

– Ça ne te fait rien d'y aller avec moi ?

– Au contraire, idiot.

– Tu ne vas pas changer d'avis ?

– Non, c'est décidé.

Mais rien n'est jamais décidé, pas avec Vicky.

J'entre dans le vestiaire des filles en inspirant un grand coup, prête à l'affronter. Madeleine, Jenny et Vicky-Deux sont là, en train de parler de moi.

– Elle est trop bizarre.

– A mon avis, elle a une araignée au plafond.

– Oui, mais ce n'est pas de sa faute. C'est à cause de ce qui est arrivé à Vicky.

– Déjà avant la mort de Vicky, je la trouvais bizarre.

– Moi, je l'aimais bien. Mais je ne savais pas qu'elle pouvait être aussi lunatique...

Madeleine pique un fard en m'apercevant soudain.

– Jade ! Oh ! J'étais justement... Je parlais de cette fille qui habite dans ma rue...

– Non. Tu parlais de moi.

– C'est ça, Jade ! dit Vicky en surgissant des toilettes. Vas-y, rive-lui son clou. Elles en ont, du toupet ! Allez, que ça saigne !

Mais je ferme les yeux jusqu'à ce que je parvienne à l'enfermer de nouveau, la bouche cousue.

Je rouvre les yeux et je m'adresse à Madeleine :

– Tu as raison, j'ai été horrible. Je suis désolée, Madeleine. Vous avez été très gentilles avec moi. Vous toutes. Mais je n'arrive pas à... Pas depuis que Vicky...

– Oh, Jade, dit Madeleine, et elle me prend dans ses bras.

Derrière la porte des toilettes, Vicky fait mine de vomir mais je n'y prête pas attention. Je ne veux pas la laisser tout gâcher. J'ai besoin de l'amitié de Madeleine. Bien sûr, elle ne remplacera jamais Vicky. Elle est trop douce, trop chaleureuse, comme un gros édredon tout rose. Mais c'est une chic fille et je sais qu'elle sera une bonne amie.

Vicky n'est ni douce ni chaleureuse. Elle est dure, froide, amère et méchante. Dans la journée, je réussirai peut-être à la maîtriser pour des périodes de plus en plus longues.

Car, le jour, j'arrive à oublier certaines choses. Mais Vicky se charge bien de me les rappeler, le soir venu.

Maman s'est mis en tête de prendre le petit déjeuner avec moi. Avant, elle ne se donnait pas cette peine, elle se contentait d'avaler une tasse de café tout en se coiffant et en se maquillant. Moi, je mangeais un bol de céréales debout dans la cuisine, en regardant la télé portable posée sur le comptoir, à m'inquiéter de mes devoirs non finis. Mais à présent, je me fiche de mes devoirs et je me fiche aussi du petit déjeuner. J'ai toujours un problème à la gorge. A quoi bon manger des corn-flakes puisqu'un quartier d'orange suffit à me remplir l'estomac ?

Maman a tenté de me forcer puis elle a lu un article dans un magazine et elle a changé de tactique. Maintenant elle me prépare un vrai petit déjeuner et s'assied à la table avec moi. Au début, elle a essayé le bacon grillé mais l'odeur me donnait la nausée et, de toute façon, elle ne supportait pas cette odeur de graillon qui empestait l'appartement toute la journée. Elle est passée aux œufs à la coque avec du pain grillé, mais ça n'a pas été très concluant. L'œuf était tout baveux, le toast m'est resté en travers de la gorge et m'a fait tousser.

Maman s'est énervée, elle a dit que je faisais la difficile et que j'allais finir mon assiette, même si elle devait me nourrir avec un entonnoir. J'ai fondu en larmes, puis elle s'est mise à pleurer aussi.

Elle répétait que j'allais me laisser mourir de faim. J'ai tenté de lui expliquer que je ne le faisais pas exprès, que je ne pouvais rien avaler à cause de ma gorge nouée. Elle a répondu que je me cherchais des excuses, mais le lendemain elle a posé devant moi un bol de fromage blanc avec, sur le dessus, un filet de miel qui dessinait la lettre J en doré.

– Tiens, Jade, mange. Et ne va pas me raconter que le fromage ne passe pas.

– C'est très gentil, maman, mais...

– Il n'y a pas de mais.

Elle a pris une cuiller, l'a plongée dans le bol et l'a approchée de mes lèvres. Sans colère. Avec tendresse, comme on nourrit un bébé.

– Allez, ma puce.

J'ai ouvert la bouche. Le fromage onctueux et sucré a coulé sur les parois de ma gorge.

– Bravo ! a dit maman en se pourléchant les babines.

– Encore ! ai-je répondu d'une voix de bébé.

Elle m'a donné plusieurs cuillerées pendant que je faisais « miam ! miam ! miam ! » puis on a été prises toutes les deux d'un fou rire – mais ça a marché. Le lendemain matin, j'ai mangé toute seule mon fromage blanc arrosé de miel, jusqu'à racler le fond du bol.

J'ai commencé à prendre plaisir à ces petits déjeuners en compagnie de maman. Mais ce matin, le courrier arrive au moment où j'avale ma première bouchée. Il y a la facture de téléphone, une lettre pour maman, une autre pour moi. A la maison, on ne reçoit pas souvent de lettres. Sur mon enveloppe, le nom et l'adresse sont tapés à la machine, comme pour un courrier officiel. Ça vient peut-être du collège. Un avertissement parce que je ne travaille pas assez ? Non, les profs ne feraient pas une chose pareille. C'est peut-être à propos de mes séances de thérapie avec Mme Wainwright ? Je ferais mieux de ne pas l'ouvrir devant maman. De toute façon, elle n'y fait pas attention. Elle est plongée dans sa lettre, qu'elle tient presque collée contre son visage, comme si elle n'y voyait pas clair. Elle est devenue toute rouge.

– C'est une lettre de lui ? Ton ami ?

Maman sursaute. Elle jette un œil en direction de la chambre au cas où papa serait à l'affût. Mais il dort comme une souche.

– Non, ce n'est pas lui, chuchote-t-elle.

Elle porte la main à son front, comme prise d'une soudaine migraine.

– Non, c'est… sa femme.

J'ouvre de grands yeux. Nous restons un moment assises là, à écouter le ronron du frigo et le tic-tac de la pendule.

– Je ne savais pas qu'il était marié, lui aussi.

– Pas si fort, Jade ! J'étais au courant, mais je croyais que son mariage battait de l'aile. Il m'a dit que la flamme était éteinte et qu'ils vivaient leur vie chacun de son côté.

164

– Et tu l'as cru ? Maman !

– Je sais, je sais. Peut-être que j'avais envie de le croire. Quoi qu'il en soit, sa femme ne voit pas du tout les choses de cette manière. Elle a découvert le pot aux roses. Je ne sais pas comment. Peut-être quelqu'un du bureau qui l'aura tuyautée. En tout cas, elle est très en colère.

– Elle veut le quitter ?

– Non, non. Elle l'aime encore. Et puis il y a les enfants. Deux petits. Elle m'écrit tout un roman sur eux et combien ils aiment leur père.

Maman a un petit hoquet. Elle met la main devant sa bouche.

– Oh, Jade, je me sens mal. Je ne sais pas comment j'ai pu lui faire ça.

– Qu'est-ce que tu vas faire ?

– Je n'en sais rien. Rompre avec lui, j'imagine. Tu comprends, je n'ai pas l'intention de briser son ménage, de faire de la peine à ses enfants. Mais ça ne va pas être facile de le voir au bureau tous les jours, comme s'il ne s'était jamais rien passé. Je serai peut-être obligée de changer de travail. Mon Dieu, quelle histoire !

– Tu l'aimes vraiment, maman ?

Elle réfléchit en touillant son bol de fromage blanc.

– Non, je ne crois pas. C'est ça, le pire. Si j'étais folle de lui, j'aurais sans doute une excuse. Mais, pour être honnête, c'est juste une aventure, pour mettre un peu de piment dans ma vie. Je ne peux pas dire que je l'aime. Parfois, il me casse les pieds et je me demande pourquoi je me suis embarquée dans cette histoire. Alors il est grand temps d'arrêter, pas vrai ?

– Peut-être.

– Oh, Jade. Je ne devrais pas te raconter tout ça. Tu n'es encore qu'une enfant. Mais tu as traversé une telle épreuve ces derniers temps, avec la disparition de Vicky, d'une certaine manière, j'ai l'impression que nous sommes plus proches, toi et moi.

– Je sais, maman.

– Tu es gentille. Bon. Et ta lettre, qu'est-ce que c'est ?

Je l'ouvre avec appréhension. Mais ça n'a rien à voir avec le collège. C'est pire. Un mot me saute au visage : « enquête ».

– Jade ? dit-elle en se penchant par-dessus mon épaule. Oh, mon Dieu ! Qu'est-ce que c'est ? Tu es appelée à témoigner !

– Je n'ai pas envie, maman. Je suis obligée ?

– Bien sûr que non, ma chérie. Ça ne me paraît pas une bonne chose. Ça va encore tout remuer. Non, on dira que tu n'es pas bien – une gastro ou quelque chose dans ce goût-là. Ne t'inquiète pas.

Mais je m'inquiète quand même.

– Encore heureux ! s'offusque Vicky. On ne va pas rater mon enquête ! Qu'est-ce qui te prend, Jade ?

Elle me saisit par les épaules. Je ne sens pas la pression de ses mains, pourtant c'est comme si elle me secouait les tripes. J'essaie de la repousser mais je ne suis pas de taille aujourd'hui.

J'ai besoin de parler à Mme Wainwright. Malheureusement, je ne dois pas la voir avant vendredi. Je garde mes distances vis-à-vis de Sam et de Madeleine parce que Vicky est trop en colère contre moi, j'ai peur qu'elle m'oblige à dire des méchancetés.

A l'heure du déjeuner, au lieu de sortir dans la cour, je me réfugie sur un banc au fond d'un couloir. Les longues blouses de sciences suspendues aux patères forment un rideau. Je me crois cachée mais Mme Cambridge aperçoit mes pieds lorsqu'elle passe à ma hauteur, en chemin vers la salle des professeurs.

– Jade ?

Elle va peut-être me gronder. Parce qu'on n'a pas le droit de traîner dans les vestiaires à l'heure du déjeuner. Mais elle n'a pas l'air fâché. Elle écarte les blouses et prend place à côté de moi.

– Pauvre Jade, dit-elle d'une voix douce. Tu n'as pas le moral aujourd'hui ?

Je secoue la tête.

– Pourtant Mme Wainwright dit que tu fais de gros progrès. Tu t'entends bien avec elle ?

– Oui. Elle est très gentille. J'aurais voulu la voir aujourd'hui.

– Je crois qu'elle est prise ailleurs. Mais tu pourrais lui téléphoner ce soir, non ?

– Je n'ai pas envie que maman m'entende. Vous savez comment elle est.

Mme Cambridge hoche la tête. Nos regards gênés évitent de se croiser.

– Je suis désolée pour mes parents. Ils ont été tellement...

Je ne trouve pas le mot juste.

– Ce n'est rien, Jade, je t'assure.

Elle se montre si compréhensive que je décide de lui poser la question :

– J'ai reçu une lettre, madame Cambridge. C'est à

propos de l'enquête sur l'accident de Vicky. On me demande de témoigner. Et je n'en ai pas envie. Maman dit que je ne suis pas obligée. C'est vrai ?

– Ça m'étonnerait, Jade.

– Je ne peux pas dire que je suis malade ?

– Ton témoignage est important, Jade. Mais je suis sûre que ça ne sera pas trop pénible. Les gens seront très gentils. Je ne crois pas qu'il y aura de contre-interrogatoire. On va juste te demander de raconter ce qui s'est passé, avec tes mots.

– Justement. Je ne me souviens pas. J'ai essayé, mais tout est confus. Et je déteste y repenser.

Rien que d'en parler maintenant, j'en suis toute tremblante.

– Ils comprendront. Ta mère t'accompagnera. Si elle ne peut pas s'absenter de son travail, je verrai si Mme Wainwright peut y aller. Ou bien je m'arrangerai pour que quelqu'un me remplace ici et j'irai moi-même.

Elle est si gentille que j'ai envie de l'embrasser mais Vicky vient de réapparaître et j'ai peur de lui offrir un prétexte à de nouvelles frasques.

Je marmonne un merci et je m'en vais. Je ne suis pas en tenue de sport, je n'ai pas mes baskets mais je vais courir sur le terrain de sport.

Mes pieds me font mal dans mes souliers, ma blouse me gêne aux entournures mais je continue. Je ne me suis pas échauffée, je m'y prends n'importe comment, mais bizarrement ça marche, je n'ai pas besoin de penser à lever le genou, ni de corriger sans cesse la position de mes bras ou de ma tête. C'est devenu naturel, comme si je flottais. Je sais courir. J'ai appris. Et j'ai réussi toute seule.

– Mensonges ! J'étais avec toi. De toute façon, c'était mon idée au départ. Et puis tu es toujours aussi nulle en course à pied. Regarde plutôt !

Vicky passe devant moi, bondissant avec légèreté à un mètre au-dessus du sol. Elle me jette un regard narquois.

Je continue de courir d'un pas régulier, en faisant de mon mieux pour l'ignorer.

– Regarde-toi ! Tu es toute rouge ! Et tu dégoulines de sueur ! Tu vas empester la classe cet après-midi. Personne ne voudra s'asseoir à côté de toi. Pas même Madeleine la Guimauve. Ni Sam Gras-Double.

Elle tournicote autour de moi, hilare.

– Pourquoi es-tu toujours aussi méchante avec moi, Vicky ? Nous sommes censées être amies !

– Tu parles d'une amie !

– Comment ça ?

– Tu as oublié ?

Elle se perche au-dessus de moi. Je ferme les yeux mais je la vois encore. Je me bouche les oreilles mais je l'entends encore. J'aurais beau courir jusqu'à perdre haleine, je ne réussirais jamais à lui échapper.

Je ne me sens pas de force à affronter les cours cet après-midi. Je prétexte une migraine – bien réelle – et on me laisse rentrer chez moi. J'espère que papa sera encore au lit mais je le trouve assis à la table de la cuisine, en caleçon et robe de chambre, occupé à passer en revue les petites annonces dans le journal.

– Je regarde s'il y a du travail pour moi. J'en ai plein le dos de bosser la nuit. Ça finit par m'abrutir. Et ça n'arrange pas les choses entre ta mère et moi.

Je n'ai pas envie d'en parler. Je voudrais aller m'allonger sur mon lit mais il se met à m'examiner sous toutes les coutures.

– Papa, je n'ai rien. Juste la migraine.

– Oui, ça va, je voulais juste vérifier. Assieds-toi, je vais te faire du thé. Tu sais où maman range l'aspirine ?

Je n'ai pas envie de discuter. Je me laisse tomber sur une chaise. La vaisselle du petit déjeuner traîne encore sur la table et le reste de fromage blanc s'est figé dans les bols. J'en ai la nausée rien que de regarder. Je les passe sous l'eau dans l'évier. Dans la poubelle, j'aperçois une lettre froissée parmi les épluchures de pommes et les sachets de thé. Je la ramasse. C'est la lettre à propos de ma déposition. Maman a dû la jeter.

– C'est quoi ? demande papa.

– Rien, dis-je bêtement. Enfin… C'est pour l'enquête sur Vicky.

– Je croyais que la police avait bouclé l'enquête après l'accident ?

– C'était le début. Elle a été reportée. Jusqu'à aujourd'hui.

– Et il faut que tu y ailles ?

– Je n'ai pas envie. Maman dit que je ne suis pas obligée. Mais, d'après Mme Cambridge, je n'ai pas vraiment le choix.

– Elle a raison, Jade. Mais ne te tracasse pas, je viendrai avec toi.

Je n'ai pas envie qu'ils viennent, ni lui ni maman. Ils se disputent pendant plusieurs jours à ce sujet. Mais le matin de l'audition, ils se préparent tous les deux, enfilent les mêmes vêtements que pour l'enterrement.

Je me sens vraiment malade cette fois. J'ai à peine fermé l'œil de la nuit. J'essaie de réfléchir à ce que je vais dire mais je n'arrive pas à mettre mes idées au clair. Dans ma tête, il n'y a qu'un blanc terrifiant puis le cri de Vicky. Je l'entends en permanence. Je secoue la tête, je me frotte les oreilles.

– Tu as mal aux oreilles, Jade ? demande maman. Tu as une mine affreuse. C'est absurde, cette enquête. Je savais bien que ça allait tout réveiller. Pourquoi tu lui as dit d'y aller ?

Elle fusille papa du regard.

– Elle n'a pas le choix. Tu aurais pu te retrouver traduite en justice, pour avoir jeté cette lettre à la poubelle. C'est tout toi, ça. Tu refuses de regarder la réalité en face.

– C'est toi qui lui enfonces la tête dans le sable, réplique-t-elle.

Je les regarde sans rien dire. Il ne s'agit pas seulement de l'enquête.

– Maman. Papa.

Ils se tournent vers moi. Curieusement, ils me prennent la main en même temps, maman la gauche, papa la droite.

– Ne t'inquiète pas, Jade, dit-elle.

– Nous serons là, ma chérie.

Nous ne nous sommes pas tenu la main comme ça depuis que je suis toute petite. Nous restons ainsi un moment, jusqu'à ce que nous nous sentions ridicules et que nous brisions le lien. Dans la rue, ils marchent à mes côtés et nous faisons un crochet par le sanctuaire de Vicky, avec ses fleurs flétries et ses peluches mitées, pour aller jusqu'au bureau du coroner.

Je suis passée devant ce vieux bâtiment des dizaines de fois sans savoir ce que c'était. Nous gravissons les marches. Maman et papa n'ont pas l'air beaucoup plus dans leur assiette que moi. Un homme en uniforme brodé de petites couronnes prend mon nom et nous fait entrer dans une salle d'attente.

Les parents de Vicky sont là. Ils ont changé. En dépit de leur bronzage, ils n'ont pas l'air en forme. Ils ont beaucoup maigri. M. Waters a perdu du ventre, son visage rond s'est creusé. Mme Waters est coiffée et maquillée avec soin, mais elle paraît incroyablement vieillie. On dirait presque la grand-mère de Vicky.

Je ne sais pas quoi dire. Les autres non plus. Le père de Vicky finit par nous adresser un signe de tête et papa lui demande comment ils vont. Question idiote. M. Waters répond : « bien, bien », ce qui est tout aussi grotesque, quand on les voit aussi accablés. Maman bredouille quelques mots sur le fait que c'est une épreuve pour tout le monde. La mère de Vicky ne se donne pas la peine de répondre. Elle me regarde. Du coup, je me sens coupable d'être ici.

J'ai envie de lui dire que ce n'est pas ma faute.

Mais c'est ma faute.

Un homme d'une cinquantaine d'années, le teint cireux, entre dans la pièce, tout raide dans son costume qui semble sortir du pressing. Il prend un air affligé en avisant M. et Mme Waters. Ça doit être le conducteur. Il est beaucoup plus petit que dans mon souvenir. Il va s'asseoir à l'autre bout de la salle, le plus loin possible des parents de Vicky. Il ne sait pas quoi faire de ses mains. Il n'arrête pas de les tordre. Je les imagine sur le volant de sa voiture. Si seulement il avait braqué à temps.

Mais ce n'est pas sa faute. Il roulait à faible allure. Vicky s'est jetée sous ses roues. Il n'y pouvait rien. Il a freiné, je me souviens du crissement des pneus puis du cri de Vicky. Le cri, le cri, le cri…

– Jade ? dit maman. Tu ne vas pas tourner de l'œil ? Mets ta tête entre tes genoux.

Elle veut me forcer à me plier en deux. Je me dérobe, gênée.

– Maman ! Ça va. Arrête !

– Tu es pâle comme un linge. Il faut que tu boives un verre d'eau.

Papa bondit vers le distributeur de boissons.

– Tu veux un Coca ?

J'avale une gorgée de Coca, j'en renverse sur mon menton et sur mon chemisier blanc.

– Jade ! Pourquoi es-tu si maladroite ?

Maman se met à frotter la tache avec le coin de son mouchoir. J'aimerais qu'ils arrêtent de s'agiter ainsi. Je sais bien qu'ils ne pensent qu'à m'aider mais c'est indécent devant les parents de Vicky, qui n'ont plus de fille sur qui veiller.

La pièce se remplit. Je reconnais la femme qui a appelé l'ambulance mais pas les autres. Des témoins.

– Peut-être qu'on pourra se passer de ta déposition, me chuchote maman. Après tout, il y a assez de témoins. De toute façon, tu ne te souviens pas bien.

Mais, en milieu de matinée, on appelle mon nom.

– Oh, là, là ! fait maman. Bonne chance, ma chérie. Elle redonne un petit coup sur la tache de Coca.

– Tout ira bien, dit papa en me serrant la main.

La sienne est toute froide et moite. Je ne sais pas si j'ai chaud ou froid. J'ai l'impression d'avoir quitté mon corps. Et de voler dans les airs... en compagnie de Vicky.

– C'est notre grand jour, pas vrai, Jade ? dit-elle. Le moment est venu de faire un petit voyage au pays des souvenirs.

On m'introduit dans une grande salle, où un monsieur siège sur une estrade. Il y a aussi un policier, une sténo, et quelqu'un qui me demande de dire la vérité, toute la vérité. Je réponds avec un tout petit filet de voix.

– Jade, raconte-nous exactement ce qui s'est passé lorsque vous êtes sorties de l'école, Victoria et toi, l'après-midi du 14.

Il attend. Il m'observe. Ils m'observent tous. J'avale ma salive. J'ouvre la bouche. Il n'en sort aucun son.

– Tranquillise-toi, Jade. Prends ton temps. Raconte-nous avec tes mots.

Mais les mots me manquent. Je n'entends que le hurlement de Vicky.

– Elle a crié, je murmure. Quand la voiture l'a heurtée.

– Oui, oui. Mais avant ? Dis-nous ce qui s'est passé avant l'accident.

– Je... je ne sais pas. On sortait du collège. On s'est avancées sur le trottoir. Puis la voiture est arrivée, Vicky a crié et...

– Qu'est-ce qui s'est passé entre les deux ? Vous marchiez sur le trottoir, tu disais ?

Soudain je nous vois, Vicky et moi. Nous marchons bras dessus bras dessous, comme d'habitude. Non. Sans nous tenir.

– On se disputait.

Je vois Vicky me frapper avec son sac. Je ressens la douleur à ma hanche. J'ai vraiment mal.

– Oh, Jade… dit Vicky. Pourquoi tu ne t'es pas écartée ?

Elle essaie de me masser la hanche mais je lui donne une tape sur la main.

– Tu me frappes avec ton sac et c'est ma faute ?

– Oh, là, là ! la prochaine fois, je viserai la tête ! dit-elle en riant. Si tu te voyais quand tu prends tes grands airs.

Mais je ne ris pas, moi. Même lorsque Vicky fait des grimaces et me tire la langue.

– Tu ne peux pas grandir un peu, Vicky ?

– Qui a envie de grandir ?

Soudain elle passe un bras sous le mien, fatiguée de ses railleries.

Mais je n'ai pas envie de me réconcilier.

– Lâche-moi, dis-je en m'écartant. Parfois, j'ai du mal à te supporter.

– Allez, tu sais bien que tu m'aimes au fond, dit Vicky. Elle s'accroche à moi.

– Tu ne m'auras pas cette fois. Va-t'en !

Je la repousse. Elle vacille un peu, l'air étonné. Puis elle esquisse un sourire pour me montrer qu'elle s'en fiche.

– Très bien, puisque c'est comme ça…

Elle s'élance dans la rue sans regarder.

Puis il y a le cri et tout est de ma faute.

Je l'ai tuée.

Si je m'étais réconciliée avec elle, nous aurions longé tranquillement le trottoir, bras dessus bras dessous, la voiture aurait suivi son chemin et la vie aurait continué.

Mais la vie s'est arrêtée au moment précis où Vicky a poussé un cri.

Je l'entends encore, qui résonne de plus en plus fort. Il est en moi. Il sort de ma bouche. On se précipite vers moi, je recule dans la salle. Quelqu'un m'attrape mais je le repousse, je m'engouffre dans le couloir, je pousse la porte, je suis dehors, dans la rue, je cours, je cours, je cours…

Vicky est à côté de moi. Je ne sais pas si je cours pour la rejoindre ou pour lui échapper. Je ne sais plus rien. Il n'y a rien dans ma tête que la vérité. Je me suis souvenue. C'est ma faute.

J'avale la rue à toute vitesse. Des cris retentissent derrière moi, on m'appelle, mais je ne peux pas m'arrêter. Je cours à travers la ville en direction du collège, je longe les grilles, je piétine les fleurs, je donne des coups de pied aux peluches, j'entends une voiture, je m'élance sur la chaussée…

Un crissement de pneus, un cri, le mien…

Mais soudain je sens des bras qui m'entourent, qui me retiennent, des mains qui pétrissent mes épaules, me tirent par les cheveux, les vêtements. Je me retourne. C'est Vicky.

Le conducteur de la voiture jure comme un charretier puis reprend sa route.

– Ouah ! Quelle grossièreté ! dit Vicky en riant.

– Tu m'as sauvé la vie. Alors que moi, je ne t'ai pas sauvée. C'était ma faute. Je t'ai repoussée.

– Tu m'as poussée, c'est vrai. Mais pas sous les roues de la voiture. Je me suis élancée, tu le sais bien. Ce n'était pas ta faute. C'était la mienne. Tant pis pour moi si la voiture m'a renversée. Tant mieux pour toi si elle t'a évitée. D'accord ? Sans rancune.

– Oh, Vicky, je t'aime.

– Je t'aime aussi.

Nous tombons dans les bras l'une de l'autre. Je sens sa chaleur, sa peau douce, ses cheveux soyeux et...

– Qu'est-ce que...

Vicky regarde par-dessus son épaule.

– Oh, mon Dieu !

Elle éclate de rire.

– Hé ! regarde ! J'ai réussi ! L'ange Vicky !

Nous nous embrassons encore puis, tandis que maman et papa me rejoignent, Vicky s'élève peu à peu. Elle déploie ses ailes, aussi blanches que celles d'un cygne, m'adresse un dernier adieu et s'envole vers les cieux.

Jacqueline Wilson est née à Bath, en Angleterre, en 1945. Fille unique, elle se retrouvait souvent livrée à elle-même et s'inventait alors des histoires. Elle se souvient d'ailleurs, adolescente, avoir rempli des dizaines de cahiers. A seize ans, elle intègre une école de secrétariat quand elle repère une annonce dans un journal qui recherche une jeune journaliste et décide de tenter sa chance. Il s'agissait d'un groupe de presse qui lançait un magazine pour adolescentes auquel on donna son prénom, Jackie. Après son mariage et la naissance de leur fille, Emma, la famille s'installe à Kingston (Surrey) et Jacqueline Wilson travaille alors en free-lance pour différents journaux. A vingt-quatre ans, elle écrit une série de romans policiers pour adultes puis se lance dans l'écriture de livres pour enfants, ce qui avait toujours été son rêve.

Ses histoires, avec leurs personnages chaleureux, sympathiques, ont remporté de nombreux prix. Le journal anglais, The Sunday Times, la définit ainsi : « La force de cet auteur réside dans une écriture contemporaine très aboutie, sans affectation ni condescendance. Ses personnages parlent, pensent et vivent comme des enfants modernes. En même temps, ils amènent leurs lecteurs à penser un petit peu plus profondément, notamment en ce qui concerne les relations familiales. »

Aux Éditions Gallimard Jeunesse, elle a déjà publié : *La double vie de Charlotte, A nous deux ! Maman, ma sœur et moi, A la semaine prochaine*, dans la collection Folio Junior.

Nick Sharratt, auteur-illustrateur de livres pour enfants est né à Londres en 1962. Il travaille pour la presse, l'édition et collabore à tous les livres de Jacqueline Wilson. Ses dessins, pleins d'humour et de fantaisie, s'harmonisent parfaitement au style de chacun de ses livres.

Achevé d'imprimer
en janvier 2002
sur les presses de la Société Nouvelle Firmin-Didot

Maquette : Karine Benoit

Loi n°49-956 du 16 juillet 1949
sur les publications destinées à la jeunesse

N° d'édition : 02199
N° d'impression : 57951
Dépôt légal · janvier 2002
ISBN : 2-07-054729-9